KB161860

논·술·세·계·대·표·문·학
47

변신

프란츠 카프카 | 김종석 엮음

심판

훈민출판사

프란츠 카프카

카프카의 고향 프라하의 전경

The Best World Literature

10세 무렵의 카프카 – 여동생들과 함께

프라하의 구시가 광장

카프카의 친필 원고

학생 시절의 카프카

카프카의 생가

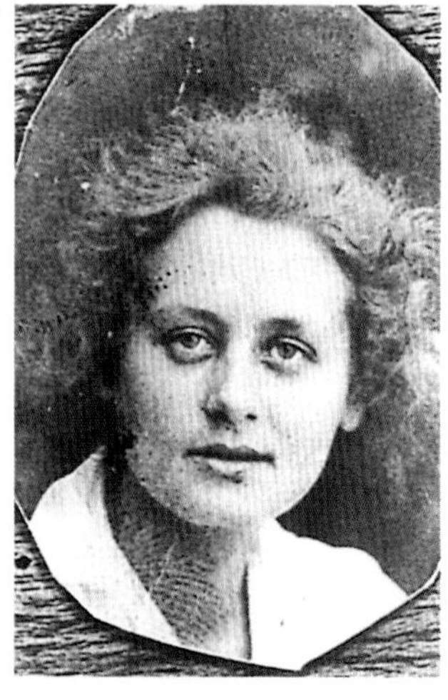

카프카의 연인 밀레나

프라하의 젊은이들

프라하의 과일 시장

The Best World Literature

영화 〈심판〉의 한 장면

프라하의 황금소로

〈변신〉의 삽화

기획·감수

구인환(丘仁煥)

서울대학교 사범대학 졸업. 동 대학원 졸업(문학박사)
서울대학교 명예교수, 소설가(현). 서울대학교 사범대학 국어교육연구소 소장(현)
문학과문학교육연구소 소장(현). 국제펜 한국본부 부회장(현)
한국소설문학상(1987). 예술문화대상(1994). 한국문학상(2000)
작품 〈숨쉬는 영정〉, 〈살아 있는 날들〉, 〈일어서는 산〉 외 다수

• **저서** 《한국단편소설의 이해》, 《한국현대소설의 비평적 성찰》,
《고교생이 알아야 할 소설》, 《고교생이 알아야 할 세계단편소설》 외 다수

윤병로(尹柄魯)

성균관대학교 국어국문학과 졸업. 동 대학원 졸업(문학박사)
성균관대학교 교수, 문학평론가(현). 한국현대소설학회장(현)
한국문예학술저작권협회 이사(현). 한국간행물윤리위원회 위원(현)
한국펜 문학상(1987). 한국문학상(1988). 대한민국문학상(1989)
수필집 《나의 작은 애인들》 외 다수

• **저서** 《현대 작가론》, 《한국 현대 소설의 탐구》,
《한국 근대 작가 작품 연구》, 《한국 현대 작가의 문제작 평설》 외 다수

홍성암(洪性岩)

고려대학교 국어국문학과 졸업. 한양대학교 대학원 국어국문학과 졸업(문학박사)
동덕여자대학교 교수, 소설가(현). 한국문인협회 회원(현)
한국소설가협회 이사(현). 국제펜 한국본부 소설분과 이사(현). 한민족 문화학회 회장(현)
창작집 《큰 물로 가는 큰 고기》, 《어떤 귀향》 외
대하역사소설 《남한산성》 (전9권) 외 다수

• **저서** 《문학의 이해》, 《현대 작가론》, 《한국 근대 역사소설 연구》 외 다수

카프카의 묘

논술 세계대표문학을 펴내며

21세기의 사회는 **'전자 문명 시대'** 라 일컬어질 만큼 오늘날 전자 산업은 우리 생활의 거의 모든 분야에 다양하게 응용되고 있습니다. 출판 분야 또한 예외는 아니어서, 종래의 서책(Book) 대신에 이른바 '전자책(CD-ROM)'의 출간이 최근 들어 날로 증가하고 있습니다.

그러나 이러한 전자책은 영상 또는 모니터상으로 흥미 위주나 백과사전식 지식을 습득하는 데는 효과적일지 모르지만, 문학 공부를 위해서는 별로 도움이 되지 않습니다. 바꾸어 말하면, 문학 공부는 각 지면마다 살아 숨쉬는 표현 하나하나를 독자 자신의 머리로 음미하면서 작품을 읽어 나가는 가운데, 풍부한 상상력의 배양과 함께 작가의 의도와 그 작품의 내면을 깊이 있게 이해함으로써 이루어지는 것입니다.

이에 훈민출판사에서는, 자라나는 학생들이 범람하는 영상 매체에 길들여지기 전에, 어려서부터 유명한 세계문학 작품들을 책자를 통하여 감명 깊게 읽고 감상함으로써, 올바른 문학 공부의 기틀을 다지고, 아울러 전인 교육도 할 수 있도록 《논술 세계대표문학(전60권)》을 펴내게 되었습니다.

작품 선정은, 초 · 중 · 고등학교 국어 교과서와 역사 교과서에 실리거나 소개된 문학 작품을 중심으로 하되, 그리스 신화와 성경 이야기 등의 고전에서부터 중세 · 근대 · 현대에 이르기까지 세르반테스 · 셰익스피어 · 톨스토이 등 세계 유명 작가들의 장 · 단편 소설들을 엄선 · 수록하였습니다. 또 세계의 명시도 별권으로 엮었으며, 특히 각 단락마다 **'논술 문제'** 를 제시하여, 장차 대학입시를 비롯한 각종 '논술 고사'에 예비 지식을 쌓을 수 있도록 배려하였습니다. 아무쪼록, 이 《논술 세계대표문학(전60권)》이 자라나는 학생들에게 문학 공부의 주춧돌이 되고, 나아가 미래를 살아가는 데 **정신적 자양분**이 되기를 진심으로 바라 마지않습니다.

훈민출판사

차례

변 신

심 판

카프카

1883~1924년. 체코의 프라하 출생. 부유한 유대인의 아들로 태어난 그는 프라하 대학에서 법률을 공부하였으며, 노동자재해 보험국에서 근무하면서 잡지 《휴페리온》에 8편의 산문을 발표하였다.
1912년에 《실종자》를 쓰기 시작했으며, 그 해 9월에는 〈심판〉을, 연말에는 〈변신〉을 쓰는 등 왕성한 작품 활동을 하였다. 폐결핵 진단을 받은 카프카는 1924년 죽기까지 정양을 계속하면서 〈성〉, 〈배고픈 예술가〉 등의 작품을 남겼다. 실존주의 문학의 선구자로 평가받는 그는, 인간 운명의 부조리성을 탐구한 작가이다.

변 신

1

어느 날 아침, 그레고르는 뒤숭숭한 꿈에서 깨어났다. 그레고르는 잠에서 깨어나면서 자기가 커다란 벌레가 되어 침대 속에 누워 있다는 사실을 깨달았다. 그레고르는 갑옷처럼 딱딱한 등으로 벌렁 누워 있었다. 고개를 약간 쳐들어 보니, 껍데기가 활 모양으로 불룩한 갈색 배가 보였다. 갈색 배 위에는 이불이 간신히 덮여 있었는데, 벗겨질 것만 같았다. 커다란 몸체에 견주어 볼 때, 어이없을 정도로 가느다란 다리 여섯 개가 힘없이 눈앞에서 흐느적거리고 있었다.

'이게 어떻게 된 일이야?'

하고 그레고르는 생각했다. 분명 꿈을 꾸고 있는 건 아니었다. 사람이 살기에 비좁긴 했지만, 여하튼 틀림없이 자기가 살고 있던 방은 아무런 일도 없었다는 듯이 예전 그대로였다. 사방에는 변함없이 익숙한 것들로 둘러싸여 있었다.

책상 위쪽에는 따로따로 묶은 옷감 견본이 흩어져 있었다. 그레고르는 외무 판매원이었다. 얼마 전 그가 어느 잡지의 화보에서 오려내어, 훌륭한 금박 사진틀에 끼워 놓은 그림도 그대로 있었다. 털모자를 쓰고 털목도리를 두른 어떤 여자가 꼿꼿이 앉아서, 두 팔 밑에까지 푹 덮인 묵직한 털토시를 끼고, 고개를 쳐들고 있는 그림이었다.

그레고르는 창문 쪽으로 시선을 옮겼다. 창문 함석판에서 빗방울이 뚝뚝 떨어지는 소리가 들렸다. 날씨가 흐려서인지 그레고르는 기분이 우울해졌다.

'잠을 더 자면 쓸데없는 망상들을 잊어버릴 수 있을 텐데…….'
하고 그레고르는 생각했다. 그러나 그것은 불가능한 일이었다. 왜냐하면 그레고르는 늘 오른쪽으로 누워 자는 버릇이 있는데, 지금과 같은 상태에서는 그러한 자세를 만들 수가 없었기 때문이다. 아무리 애를 써서 오른쪽으로 몸을 움직이려고 해도 땀만 날 뿐이었다. 이리저리 들썩일 뿐, 다시 먼젓번과 같이 나자빠진 자세로 되돌아갔다. 아마 백 번도 더 넘게 움직여 보았을 것이다. 하지만 소용 없었다. 그는 허우적거리는 발들이 보기 싫어서 눈을 감았다. 옆구리에서는 지금까지 느껴 보지 못한 통증까지 느껴져서, 그는 오른쪽으로 눕는 것을 포기했다.

'아아, 나는 왜 이렇게 고된 일을 택했을까, 날마다 같은 여행을 해야 하는 일을…….'

사실 상점에서 일하는 것보다, 외판 일을 하는 것이 더 힘들다. 일을 위해 여행을 떠나면 열차를 제시간에 맞춰 타야 한다는 걱정, 불규칙적이고 좋지 못한 식사, 언제나 새로운 사람을 만나야 하고, 그 사람과 오래 사귀지도 못할 뿐더러 다만 겉으로만 좋은 사이인 것처럼 대하는 일들이 힘들었다.

'지긋지긋해. 빌어먹을 것! 될 대로 되라지!'

그레고르는 배 위가 조금 가려웠다. 머리를 조금이라도 들어 보려고 드러누워서 천천히 등을 침대 머리 쪽으로 밀어 올렸다. 그 덕에 가려운 곳이 어디인지 알아 냈다. 자그마한 흰 점들이 촘촘히 박혀 있는 부분이다. 그레고르는 다리 하나로 그 곳을 긁어 보려다가 움츠러들었다.

다리를 가려운 곳으로 가져갔을 때, 온몸에 소름이 끼쳤기 때문이었다.

그레고르는 원래 자세대로 벌렁 나자빠졌다.

'잠을 못 자면 바보가 되는 거야.'

그레고르는 생각했다.

'사람은 자고로 충분히 잠을 자야 해. 다른 외판원들은 마치 후궁의 궁녀들처럼 살고 있지 않은가? 예를 들어 내가 주문받은 것을 장부에 기입하려고 아침에 숙소로 들어가면, 그제서야 그들은 앉아서 아침을 먹고 있으니 말이야. 내가 만약 그런 짓을 한 번이라도 흉내낸다면, 나는 아마도 당장에 사장에게 쫓겨나겠지. 그렇게 하는 것이 내게 도움이 될지 어떨지는 알게 뭐야. 지금까진 부모를 위해 참아 왔지만, 아마 부모가 없었더라면, 나는 벌써 사표를 던졌을 거야. 그리고 사장 앞으로 당당히 걸어가 마음속에 있는 것을 남김없이 쏟아 냈을 거야. 그러면 분명히 사장은, 내 행동에 놀라서 책상에서 떨어지겠지. 사장은 책상 위에 앉는 버릇이 있어. 책상 위에 앉아서 사원들을 내려다보며 이야기하는 괴상한 버릇 말이야.'

그레고르가 일하는 상점의 사장은 귀가 먹어서 잘 듣지 못했다. 그래서 사원들은 사장에게 바싹 다가가 말해야 했다.

'하지만 앞으로 나에게 전혀 희망이 없는 것은 아니야. 부모가 사장에게 진 빚을 갚을 만큼 돈을 벌면, 사표 내는 것은 어렵지 않아. 오륙 년쯤 걸릴 테지만, 언젠가 꼭 사표를 내고 말 거야. 사표를 내는 일은 내 인생에 있어 하나의 큰 전환점이 될 거야. 그런데 중요한 것은 나는 우선 일어나야 해. 기차가 다섯 시에 떠나는데…….'

그레고르는 옷장 위에서 짤깍짤깍 소리를 내는 탁상시계를 쳐다보았다. 벌써 여섯 시 반이었다. 시계 바늘은 조용히 돌아가고 있었다. 벌써 삼십 분이 지나고, 사십오 분을 향해 가고 있었다.

'종이 울리지 않았단 말인가. 이런, 큰일 났군.'

자명종 시계를 네 시 정각에 맞춰 놓은 것이 침대에 누워서도 보였다. 틀림없이 종은 울렸을 것이다. 방 안을 뒤흔드는 자명종 소리를 듣고도 잠을 잘 수 있었을까? 하지만 그 자명종 소리 때문에 깊이 잠들지는 못했을 것이다. 그러나 어쩌란 말인가? 다음 기차는 일곱 시다. 그 차를 타려면 한바탕 야단법석을 피워야 한다. 그런데 아직 견본들도 꾸려 놓지 않았다. 거기다 그다지 기분이 상쾌하지 않아서 몸을 가볍게 움직일 수도 없다. 설령 기차를 탈 수 있다 해도, 사장의 호된 꾸지람을 면할 길은 없다. 분명히 급사가 다섯 시 차를 기다리고 있다가, 그레고르가 내리지 않은 사실을 사장에게 보고했을 테니까. 급사는 줏대도 없고 바보 같다. 그는 사장의 앞잡이로 아첨을 잘 하는 인간이다.

'병에 걸렸다고 할까?'

하지만 이렇게 말하는 것은 굉장한 의심을 살 것이다. 아직 단 한 번도 그레고르는 병을 앓은 적이 없기 때문이다. 그레고르가 아프다고 보고하면, 사장은 어쩌면 생명보험 회사에 소속된 의사를 데리고 올지도 모른다. 그리고 게으른 아들을 두었다며 부모들까지 비난할 것이다. 아무리 아프다고 변명한다고 해도, 그 의사에게 진찰을 받아야 한다고 사장이 우기면 모든 일은 수포로 돌아가고 만다. 의사가 진찰을 하면 몸에 아무런 이상도 없으면서, 일하기 싫어서 그러는 거라고 생각할지도 모르니까 말이다.

그레고르는 오랫동안 잠을 자고 일어나서도, 더 자고 싶다는 마음을 갖는 것 이외에는 건강했다. 하지만 더 자고 싶은 마음은 누구나 갖고 있다. 그레고르는 지금 무엇보다 배가 고팠다.

그레고르가 침대에서 일어나지도 못하고 이런저런 생각을 하고 있을 때, 시계가 막 여섯 시 사십오 분을 가리키고 있었다. 그 때 조심스럽게 문을 두드리는 소리가 들렸다.

"그레고르야!"

어머니였다.

"여섯 시 사십오 분이다. 아직 출발하지 않았니?"

어머니의 부드러운 목소리다. 그레고르는 자기가 어머니께 대답하는 소리를 듣고 깜짝 놀랐다. 지금까지의 자기 목소리임에는 틀림없었다. 하지만 어쩐지 밑에서 울려나오는 것 같으면서도, 괴로운 신음 소리 같은 것이 섞여 있었다. 처음에는 똑똑하게 발음했지만, 그 다음부터는 말끝이 흐려졌다. 그레고르는 어머니에게 자세히 설명하고, 모든 일을 속 시원하게 이야기하려고 했다. 그러나,

"네, 네, 어머니, 벌써 일어났어요."

라고만 대답했다. 그레고르의 목소리가 변한 것을 밖에서는 알지 못하는 것 같았다. 그레고르의 대답을 듣자 어머니는 안심하고 다리를 끌며 가 버렸다. 그러나 이렇게 주고받은 몇 마디 말로 인해, 식구들은 벌써 떠났을 거라고 생각한 그레고르가 아직도 떠나지 않고 집에서 꾸물거리고 있다는 것을 알게 되었다.

"그레고르! 그레고르!"

아버지가 낮은 목소리로 불렀다.

"아니, 어떻게 된 거냐?"

잠시 후에 아버지는 묵직한 목소리로 다시 한 번 물었다. 잠시 후에는 옆방 다른 문에서 여동생 그레테의 가느다란 목소리가 들렸다.

"오빠, 어디가 아파? 뭐 필요한 거라도 있어?"

양쪽 문을 향해 그레고르는 대답했다.

"다 준비 됐습니다."

그레고르는 신중하게 말했다. 한 마디 한 마디를 신중하게, 귀에 거슬

리는 이상한 목소리를 없애기 위해 띄엄띄엄 말했다. 아버지는 식사를 하러 돌아갔다. 하지만 여동생은 여전히 문 앞에 서서 말했다.

"오빠, 문 좀 열어 봐."

그레고르는 문을 열 생각을 하지 않았다. 방 안에 틀어박히면 언제나 문이란 문을 다 잠가 버리는 용의주도한 습관을 가지게 된 것을 다행이라고 여기기까지 했다.

그는 조용히 일어나 옷을 주워 입고 아침을 먹으려고 했다. 그러고 나서 다음 일을 생각하려고 했다. 침대 위에 누워서 아무리 생각해 보아도, 별로 신통한 결론을 얻을 수 없다는 것을 알았기 때문이다. 그레고르는 전에도 가끔씩 잠자리가 불편해서 가벼운 고통을 느낀 적이 있었다. 하지만 일어나고 나면 그것은 착각이었다는 것을 알았다.

자기 목소리가 변한 것은 아무래도, 외무 판매원의 직업병인 심한 감기 증세라고 생각했다. 그는 그것을 조금도 의심하지 않았다.

이불을 걷어 버리는 것은 간단했다. 숨을 쉬면서 배를 조금 불룩하게 하면 이불이 저절로 흘러내렸다. 그러나 그 다음이 문제였다. 그레고르의 몸집이 매우 뚱뚱해져서 일어나기가 힘들었다. 일어나기 위해서는 팔과 손을 써야 했다. 그런데 팔과 손은 없었다. 여러 개의 다리가 제각기 얽혀서 움직일 뿐, 그의 뜻대로 되지 않았다. 그는 다리 하나를 구부려 보려 했지만 제멋대로 쭉 뻗기만 했다. 하지만 몇 번의 시도 끝에 드디어 다리를 자기 의지대로 움직일 수 있었다. 그러는 동안 다른 다리들은 해방이라도 된 것처럼 야단스럽게 수선을 떨며 움직였다.

"침대 속에서 이렇게 우물쭈물해 봤자 소용없어."

그레고르는 혼잣말을 했다.

우선 그레고르는 하반신을 침대 밖으로 내밀려고 했다. 그러나 하반신이 보이지 않았다. 어떻게 생겼는지 도무지 짐작할 수도 없었다. 하반신을 움직이는 것이 무척 어려웠고, 동작도 느렸다. 결국 그레고르는 있는 힘을 다해 몸을 앞으로 내밀었다. 그런데 방향을 잘못 잡는 바람에 옆으로 틀어지면서, 침대 아래쪽 철주에 하반신을 부딪혔다. 하반신은 화끈거리면서 무척 아팠다. 그제야 벌레로 변한 자기 몸의 하반신이 무척 예민한 감각을 갖고 있다는 것을 알았다.

그래서 이번에는, 상반신을 침대 밖으로 끌어내려고 했다. 그는 조심스럽게 머리를 침대 끝으로 돌렸다. 이 일은 아주 쉬웠다. 몸뚱이가 크고 육중했지만, 머리가 움직이는 대로 몸뚱이도 천천히 따라왔다. 그러나 나중에 머리를 침대 밖으로 쑥 내밀고 허공으로 머리를 쳐들었을 때, 그는 불안했다. 만일 이런 자세로 침대 밖으로 나가다가는 아래로 떨어질 것 같았다. 아래로 떨어지는 날에는 기적이 일어나지 않는 이상, 머리가 박살이 날 것 같았다. 그레고르는 그냥 침대에 누워 있는 편이 나을지도 모르겠다고 생각했다.

그러다가 그레고르는 한숨을 지으며 다시 애를 쓰기 시작했다. 여러 개의 작은 발이 서로 얽혀서 허우적거리는 꼴을 보았을 때, 이렇게 제멋대로 놀아서는 더욱 힘들어진다는 것을 알았다. 그는 이렇게 침대에 누워 있을 수 없다고 생각했다. 설사 침대에서 일어나 밖으로 나갈 수 있는 희망이 거의 없다고 하더라도, 어떤 희생을 치르고서라도 밖으로 나가는 것이 현명한 일이라고 혼잣말을 했다. 그러면서 그레고르는 이런 때일수록 냉정하고 분별 있는 행동을 하는 게 좋을 거라고 생각했다.

그는 그런 생각을 하면서 날카로운 시선으로 창문을 쳐다보았다. 좁은 거리 저편까지 자욱하게 안개가 끼어 있었다. 그러나 그는 어떤 위안도 얻지 못했고, 명랑한 기분이 들지도 않았다.

'벌써 일곱 시야.'

그는 일곱 시를 알리는 시계 소리를 들었다.

'일곱 시가 되어도 아직 저렇게 안개가 끼어 있구나.'

그레고르는 가볍게 숨을 내쉬며, 현실적이며 분명히 납득할 수 있는 원래 상태로 되돌아가기를 기대하는 듯이 조용히 누워 있었다. 그러다가 문득 이런 생각을 했다.

'일곱 시 십오 분이 될 때까지 무슨 일이 있어도 꼭 침대에서 일어나야겠어. 이렇게 우물쭈물하고 있다가는 내 일을 물어 보려고 상점에서 누가 올지도 몰라. 상점은 일곱 시 전에 문을 열 테니까.'

그레고르는 몸 전체의 균형을 잡은 뒤, 몸부림치면서 침대에서 빠져나가려고 했다. 머리를 조심해서 위로 치켜세우면 침대에서 떨어질 때, 머리를 다치지 않을 것이라고 생각했다. 등은 딱딱한 것 같았다. 그러니 양탄자 위에 떨어지면 아무 사고도 일어나지 않을 것 같았다. 그레고르는 떨어질 때 큰 소리가 나면 온 집안을 놀라게 하지는 않더라도, 식구들이 걱정할 것이라고 염려했다. 하지만 대담하게 일어나야 했다.

그레고르는 거의 반쯤 몸을 일으키면서 누가 와서 좀 거들어 주면, 쉽게 일어날 수 있을 것 같다는 생각을 했다. 혼자서 일어나는 이 방법은 힘이 들기보다는 재미있는 일이었다. 그냥 누워서 좌우로 몸을 흔들기만 하면 되었다. 힘센 사람 둘만 있으면 충분할 것 같았다. 아버지와 하녀가 그들의 팔을 자기의 둥근 등 밑에 집어넣고, 침대에서 약간 몸을 쳐들고 허리를 구부리면 내려올 수 있을 것 같았다. 침대에서 내려와 마루 위에서 몸을 뒤집는 일은 혼자 할 수 있을 것 같았다. 그러니 그 때는 아버지와 하녀가 그냥 그레고르의 몸이 뒤집어질 때까지 기다려 주면 된다. 몸을 뒤집는 일은 조그만 다리들이 그 몫을 다해 줄 것이다. 그런 생각을 하면서도 그레고르는, 자기가 방문을 다 잠그고 있다는 것을 전혀 생각하지 못했다. 그레고르는 정말 구원을 요청해야 하는지를 생각해 보았다. 그는 어려움을 겪고 있으면서도, 이런 생각을 하는 자기를 보니 웃음이 나왔다.

그레고르가 계속해서 몸을 흔들자, 균형을 잃고 침대에서 떨어질 지경이 되었다. 이제 그는 결심을 해야 했다. 왜냐하면 오 분만 있으면 일곱 시 십오 분이 되기 때문이다. 그 때 현관에서 벨이 울렸다.

'상점에서 누가 온 거야. 틀림없어.'

상점에서 누가 왔을 거라고 생각하니 갑자기 온몸이 뻣뻣해졌다. 그러면서도 작은 발들은 더욱 바쁘게 바둥거렸다.

잠시 온 집안이 조용해졌다.

"아무도 문을 열어 주지 않는군!"

그레고르는 중얼거렸다.

그는 잠시 동안 헛된 희망에 사로잡혔다. 그러나 곧 하녀가 평소대로, 침착한 걸음걸이로 현관으로 나가서 문을 열었다. 그레고르는 방문자의 목소리를 듣고, 그가 지배인이라는 것을 알았다.

'왜 나는 회사 일에 조금이라도 태만하면, 곧 의심을 받는 그런 회사에 다녀야 하는 것일까. 사원들을 의심의 눈초리로 바라보고, 불량배로 취급하는 회사에 말이야. 회사원 가운데는 단지 아침 두서너 시간을 회사를 위해 애쓰지 않았다고 해서 양심의 가책을 느끼고, 마침내는 침대에서 일어날 수 없는 상태에 빠지게 되는 충실하고 열성적인 사람은 하나도 없단 말인가? 동정을 살피려면 급사를 보내서 알아봐도 충분하지 않은가? 이렇게 물어 볼 일이 있다고 해서 직접 지배인이 와야 한단 말인가. 그리고 지배인이 찾아온 것을 아무 죄도 없는 우리 식구들에게 보여 주어야 한단 말인가…….'

그레고르는 일어나야 한다는 조금 전의 다짐 때문이 아니라, 회사에 대한 분노로 인해 더욱 힘껏 침대에서 뛰어내렸다. 그 바람에 '쿵' 하는 큰 소리가 났다. 하지만 정확하게 말한다면 큰 소리는 아니었다. 양탄자가 깔려 있어서 떨어지는 소리가 많이 작아졌다. 딱딱한 등도 그레고르가 생각했던 것보다는 탄력이 있었다. 그 덕분에 떨어졌을 때 귀에 거슬리는 요란한 소리는 나지 않았다. 다만, 머리를 쳐들지 못해서 바닥에 부딪히고 말았다. 그레고르는 화가 나고 몹시 아파서, 머리를 양탄자 위에 문질렀다.

"방 안에서 무엇이 떨어졌나 봅니다. 무슨 소리가 났는데……."

지배인이 왼쪽 옆방에서 말했다. 그레고르는 언젠가 지배인도 자기가 오늘 겪은 일을 당할지도 모른다고 상상해 보았다. 사실, 그럴 가능성이 있을지도 모른다. 그레고르가 그런 상상을 하고 있을 때, 지배인은 옆방에서 발에 힘을 주어 몇 발자국 걸어다니며 에나멜 구두 소리를 냈다. 오른편 옆방에서는 그레고르에게 지배인이 왔다는 사실을 알리려고 그레테가 속삭였다.

"그레고르 오빠, 지배인이 오셨어."

"알았어."

그레고르는 그레테에게 말했다. 하지만 그레테가 알아들을 수 있을 만큼 큰 소리는 내지 못했다.

"그레고르!"

이번에는 왼쪽 옆방에서 아버지가 불렀다.

"지배인이 오셔서 왜 아침 차로 떠나지 않았는지 물으신다. 뭐라고 말씀드려야 할지 모르겠구나. 그보다 이 분이 너하고 직접 만나서 말씀하시겠다고 하신다. 그러니 자, 문을 열어라. 방이 지저분해도 지배인께서는 양해해 주실 거다."

"이보게, 잠자 군."

지배인이 다정한 목소리로 불렀다.

"몸이 아파요."

아버지가 문 옆에서 말하고 있는 동안, 어머니가 지배인에게 말했다.

"우리 애가 몸이 아파요. 지배인님, 제 말을 믿어 주세요. 그렇지 않다면 왜 그레고르가 기차를 놓쳤겠어요? 그 애는 밤에 통 외출을 안 해서 내가 얼마나 성화를 부리는지 모릅니다. 벌써 일주일째 거의 매일 집에만 처박혀 있었어요. 저녁에는 우리 옆에 있는 책상 근처에 앉아서 조용히 신문을 읽거나 기차 시간표를 본답니다. 취미라고는 톱을 가지고 일하는 것뿐이지요. 예를 들어 이삼 일 동안 저녁마다 조그만 사진틀을 짠답니다. 솜씨가 얼마나 좋은지, 그걸 완성해서는 방 안에 걸어 놓았답니다. 그레고르가 문을 열면 보실 수 있을 거예요. 무엇보다 누추한 우리 집에 와 주셔서 감사합니다. 그리고 영광입니다. 지배인님, 우리는 그레고르에게 문을 열라고 했지만, 그 애는 말을 듣지 않아요. 저 애는 고집이 무척 세거든요. 아침에 물어 보았을 때, 아프다고 말하지 않았지만 틀림없이 몹시 아픈가 봅니다."

그레고르는

"곧 갑니다."

하고 천천히 말했다. 그러고는 방 밖에 서 있는 사람들이 이야기하는 것을 하나도 놓치지 않고 들으려고 했다.

"나도 그렇게 생각합니다. 대수로운 일이 아니었으면 좋겠습니다. 하지만 우리처럼 장사하는 사람들은 행복하든 불행하든, 개인적인 사정이야 어떻든 간에 언제나 장사를 해야 살 수 있지요."

"그레고르, 지배인께서 들어가셔도 될까?"

하고 아버지가 초조하게 다시 물으며 문을 두드렸다.

"안 돼요!"

그레고르가 외쳤다. 왼쪽 방에는 숨막힐 듯한 침묵이 흐르고, 오른쪽

옆방에서는 그레테의 흐느낌이 들려왔다.

'왜 동생은 다른 사람들이 있는 데 있지 않을까? 아마 지금 막 일어나서 아직 옷도 갈아입지 못한 모양이지. 그런데 왜 울고 있는 걸까? 내가 지배인을 못 들어오게 해서? 직장에서 오빠가 쫓겨날 것 같아서? 아니면 상점 주인이 빚을 갚으라고 재촉할까 봐?'

하지만 그런 일들은 미리부터 걱정할 일이 아니었다. 그레고르는 아직 이렇게 방에 있고, 부모를 저버릴 생각은 해 본 적이 없다. 잠깐 동안 그레고르는 양탄자 위에 누워 있었다.

그레고르가 지금 어떤 모습이며 어떤 상황인지 바깥에 있는 식구들이 안다면, 아마도 지배인을 안으로 들여보내려고 하지 않을 것이다. 그리고 다음 기회에 얼마든지 변명할 수 있는 이런 사소한 일 때문에, 그레고르가 당장 상점에서 쫓겨나는 일은 없을 것이다. 그런 까닭에 그레고르는 울면서 지배인을 귀찮게 하느니보다, 그를 그대로 내버려 두는 게 훨씬 현명할지도 모른다고 생각했다. 하지만 이런 그레고르의 흐리멍덩하고 애매한 태도가 다른 사람들을 어리둥절하게 만들었고, 그들의 행동을 정당화시켰다.

"잠자, 도대체 어찌된 일인가?"

지배인은 마침내 큰 소리로 그레고르를 불렀다.

"자네는 방에 앉아서 그저 '네!', '아니오!' 이런 말만 하고 있군. 부모에게 쓸데없는 근심만 시키고……. 말이 나와서 말인데, 자네는 지금 자네가 할 일을 게을리하고 있는 거야. 그것도 말도 되지 않는 방법으로 말일세. 도대체 이런 법이 어디 있나? 나는 지금껏 자네를 침착하고 분별 있는 사람이라고 생각했는데……. 지금 자네 모습을 보니 영 실망이네. 사실, 오늘 아침 사장님께서 나에게 자네가 늦는 이유를 나름대로 말씀해 주셨어. 얼마 전 자네에게 맡긴 회수금 때문이라고 사장님은 말씀하시더군. 그러나 나는 사장님께 그럴 리가 없다고 말씀드렸지. 난 한사코 자네 편이 되어 말했단 말일세. 그런데 여기 와서 자네가 이해할 수 없는 고집을 피우는 것을 보니, 자네 편이 될 생각이 전혀 없네. 사장님께 자네를 변명해 줄 기분이 전혀 나지 않는단 말일세. 자네, 지금 자네 자리가 위험하네. 원래 나는 자네를 만나 단둘이 이야기하려고 했지. 그런데 자네가 이렇게 문을 열지 않고 헛되게 시간만 낭비하게 만드니, 원. 요새 자네의 근무 실적은 그리 좋지가 않아. 물론 지금은 장사가 잘 안 되는 시기라는 것을 우리도 잘 알아. 그러나 장사가 안 되는 때는 절대로 있을 수 없고, 있어서도 안 된단 말이야. 안 그런가, 잠자 군?"

"아아, 지배인님."

그레고르는 흥분해서 자기도 모르게 소리를 질렀다.

"이제 일어납니다. 몸이 좀 아프고 현기증이 나서 자리에 누워 있었습니다. 그러나 이제는 조금씩 기분이 좋아지고 있습니다. 지금 막 침대에서 나왔습니다. 조금만 기다려 주십시오. 아직 기분이 예전 같지 않지만 곧 좋아질 겁니다. 이렇게 별안간 병이 날 줄은 몰랐습니다. 어제 저녁까지는 아무렇지도 않았어요. 그것은 부모님도 잘 알고 계십니다. 솔직히 말하면, 어제 저녁에 벌써 이상한 느낌이 들긴 했습니다. 저를 자세히 본 사람이라면 눈치챘을 것입니다. 그런데 왜 제가 상점에 알리지 않았다고 생각하십니까? 그건 이 정도의 병이라면, 집에서 하루쯤 쉬고 나면 괜찮아질 거라고 생각했기 때문입니다. 지배인님, 저희 부모께 뭐라고 하지 마십시오. 그리고 저를 그렇게 욕하지 마십시오. 그건 저를 오해하시는 겁니다. 저는 그런 말을 들을 만큼 나쁜 사람이 아닙니다. 지배인님은 제가 최근에 발송한 주문서를 아직 읽어 보시지 않은 모양입니다. 여하튼 여덟 시 차로 출발하겠습니다. 두서너 시간 쉬었더니 이제 기운이 좀 나는군요. 제발 먼저 가십시오. 저도 곧 출발하겠습니다. 사장님께 잘 말씀해 주십시오."

그레고르는 이 말을 너무 급히 쏟아 놓아서, 자기가 무슨 말을 했는지 거의 알 수 없을 지경이었다. 그는 침대에서 옷장 쪽으로 가서 옷장에 의지해 바로 일어서려고 애썼다. 사실 그레고르는 문을 열고, 자기 모습을 지배인에게 보이며 직접 이야기하려고 했다. 그토록 자기 방에 들어오려고 애쓰는 사람들이, 자기 모습을 보면 뭐라고 말할지 그 점이 무척 궁금했다.

아마 그들은 분명히 그레고르의 변한 모습을 보고 깜짝 놀랄 것이다. 그 모습을 보여 주면 달리 변명을 하지 않아도 된다. 그저 잠자코 있어도 된다. 만일 사람들이 이 상황을 아무렇지도 않게 생각한다면, 어쩌면 그레고르도 흥분하지 않고 침착하게 일하러 나갈 수 있을 것 같았다. 빨리 서두르면 여덟 시 기차를 탈 수 있을지도 모른다.

그레고르는 옷장이 반들반들해서 몇 번이나 미끄러졌다. 그러다 마침내 몸을 앞뒤로 흔들면서 꼿꼿이 일어설 수 있었다. 하반신이 불에 타는 듯이 아팠지만 참을 수 있었다. 지금 몸이 아픈 것은 그다지 중요한 문제가 아니기 때문이다. 그레고르는 가까이에 있는 의자 뒤에 몸을 던졌다. 조그만 발들이 그 의자를 꼭 붙들었다. 그렇게 해서 그레고르는 다시 움직일 수 있었다. 그런 다음 그는 입을 다물었다. 왜냐하면 지배인의 목소리가 다시 들려왔기 때문이다.

"무슨 말인지 알아들으셨습니까?"

지배인이 부모에게 물었다.

"저 애가 우리를 놀리는 건 아니겠지요?"

어머니가 울상이 되어 말했다.

"천만의 말씀입니다. 틀림없이 저 애는 중한 병에 걸린 겁니다. 그런데 우리는 그것도 모르고, 문을 열어 달라고 괴롭히고 있는 거예요. 그레테, 그레테!"

어머니는 그레테를 불렀다.

"네?"

맞은편에서 그레테가 소리를 질렀다. 이 모녀는 그레고르의 방을 사이에 두고 이야기를 했다.

"빨리 의사한테 갔다 오너라. 그레고르가 병이 났어. 너, 오빠가 말하는 소리를 들었니?"

그러자 지배인이 그레테 대신 대답했다.

"그건 분명히 동물의 소리였소."

어머니의 흥분된 목소리와 달리, 지배인은 매우 낮고 침착한 목소리로 말했다.

"안나, 안나!"

아버지는 현관방을 통해 부엌에다 대고 하녀를 부르며 손뼉을 쳤다.

"빨리 열쇠쟁이를 불러오너라."

그러자 두 소녀가 치맛자락 끄는 소리를 내면서 현관방으로 뛰어갔다.

'어떻게 그레테는 이렇게 빨리 옷을 입을까?'

현관문이 열리는 소리가 났다. 그러나 문이 닫히는 소리는 들리지 않았다. 집안에 큰일이 일어났을 때 흔히 그렇듯이, 문을 열고 바삐 나가느라 문을 닫는 것을 깜빡한 것이다.

그레고르는 훨씬 침착해졌다. 하지만 사람들은 그가 하는 말을 여전히 알아들을 수가 없었다. 사람들은 그레고르가 정상이 아니라는 것을 눈치채고, 어떻게 하면 그를 도울 수 있을까를 생각했다. 그러자 그레고르는 기분이 좋아졌다. 다시 사람 축에 끼게 되는 것을 느꼈다. 그는 의사와 열쇠쟁이가 와서 어떤 놀라운 비상수단을 써서라도 자기를 도와줄 거라고 믿었다.

그래서 그는 자기를 구해 줄 결정적인 시간이 다가올수록, 될 수 있는 대로 명확한 목소리를 내려고 약간 밭은기침을 했다. 그러다가 기침이 누그러지도록 애를 썼다. 혹시 사람의 기침 소리와 다른 소리가 날지 몰라 두려웠기 때문이다. 그러는 사이 방은 조용해졌다. 아마 부모와 지배인이 책상 옆에 앉아서 귓속말로 이야기를 주고받거나, 그레고르 방에서 무슨 소리가 나는지 문 앞에서 귀를 기울이고 있는지도 몰랐다.

그레고르는 천천히 의자를 문 쪽으로 밀고 나갔다. 그리고 문을 붙들고 꼿꼿이 섰다. 그레고르의 발꿈치에서는 약간 끈적거리는 액체가 나왔다. 그레고르는 무리한 몸놀림을 그만두고, 긴장을 풀고 잠시 쉬었다. 그러고는 입으로 열쇠구멍에 열쇠를 넣어 돌렸다. 이빨이 없는 것이 안타까웠다. 그는 이빨 대신 턱의 힘으로 간신히 열쇠를 돌렸다. 그러다 그레고르는 어딘가에 상처를 입었다. 하지만 상처를 돌볼 겨를이 없었다. 갈색 액체가 입에서 흘러나와 열쇠에 묻고, 그 액체는 다시 마루 위에 뚝뚝 떨어졌다.

"내 이야기 좀 들어 보시오."

지배인이 옆방에서 다시 말을 시작하려고 할 때였다.

"열쇠를 돌리고 있어요."

그레고르는 문 앞에 서 있는 모든 사람들이 '그레고르, 힘내라. 기운을 내!' 하며 격려해 주기를 바랐다.

'이봐, 힘을 내. 열쇠를 꼭 붙들어.'

하고 외쳐 주면 얼마나 좋을까를 생각했다.

그레고르는 사람들이 자기가 이렇게 애쓰고 있는 것을 긴장하며 보고 있으리라고 생각하자, 더욱 정신없이 열쇠를 물고 돌렸다. 열쇠가 돌아가자 그의 몸도 열쇠가 돌아간 만큼 따라 돌아갔다. 그레고르의 몸은 열쇠를 물고 꼿꼿이 서 있기도 하고, 필요에 따라 열쇠에 매달리기도 했다. 또 그 자신의 몸무게로 위에서 열쇠를 내리누르기도 했다. 결국 짤깍 하고 자물쇠 열리는 소리가 났고, 그레고르는 제정신으로 돌아왔다. 그는 숨을 돌리며 "자물쇠 장수가 무슨 소용이 있어?" 하고 중얼거렸다. 그리고 문을 활짝 열려고 문의 손잡이 위로 고개를 올려놓았다.

마침내 문을 열었지만 그레고르의 모습은 문에 가려서, 밖에서는 아직 그의 모습을 보지 못했다. 그레고르는 천천히 문의 판자를 따라 바깥쪽으로 돌아가야 했다. 그리고 문 앞에서 혹시 벌렁 나자빠질지도 몰라서 각별히 조심했다. 그 때까지도 그레고르는 이런 어려운 동작에 온 힘을 쏟았기 때문에, 다른 것에는 주의를 기울일 틈이 없었다.

그 때 "오!" 하고 신음하듯이 내뱉는 지배인의 목소리가 들렸다. 굉장히 큰 목소리였음에도 불구하고, 그 목소리는 마치 바람이 지나가는 소리처럼 들렸다.

문을 열고 밖으로 나갔을 때, 그레고르의 눈에 처음 들어온 사람은 지배인이었다. 지배인은 떡 벌어진 입을 한 손으로 가렸다. 그러고는 자기도 모르게 뒷걸음질치기 시작했다. 어머니는 지배인이 와 있는데도, 어젯밤부터 풀어헤친 머리를 손질하지도 않고 두 손을 모은 채 서 있었다. 어머니는 처음에는 아버지를 쳐다보고, 그 다음에는 그레고르 쪽으로 두어 걸음 걸어오더니 푹 쓰러지고 말았다. 그 바람에 어머니의 치마가 사방으로 쭉 펴졌다. 얼굴은 가슴에 파묻혀서 전혀 보이지도 않았다. 아버지는 증오에 가득 찬 표정으로, 마치 그레고르를 방 안으로 몰아넣으려는 것처럼 주먹을 불끈 쥐었다. 그러더니 여러 사람이 서 있는 거실을 불안스럽게 두리번거리더니, 두 손으로 눈을 가리고는 가슴을 들먹거리며 흐느끼기 시작했다.

그레고르는 방 안으로 들어갈 생각은 하지도 못했다. 빗장이 잠긴 한쪽 문에 기대고 서 있었기 때문에 그의 몸은 밖에서 반쯤 보였고, 옆으로 갸우뚱 기울어진 머리가 보일 뿐이었다. 그레고르는 그 자세로 사람들을 하나하나 살펴보았다. 그러는 동안 주위가 훤하게 밝아졌다. 거리를 사이에 두고, 저쪽 건너편에 우뚝 서 있는 거무죽죽한 병원이 보였다. 거리를 향해 있는 벽 쪽에는 일정하게 창문이 나 있었다.

비가 내리고 있었는데, 빗방울 하나하나가 눈에 보일 만큼 커다란 빗방울이었다. 식탁 위에는 아침을 먹고 난 빈 접시들이 가득 놓여 있었다. 아버지에게 있어 아침 식사 시간은 하루 중 가장 중요한 시간이었다. 아버지는 신문을 여러 개 보면서 식사를 하기 때문에, 식사 시간이 몇 시간이나 걸렸다.

바로 맞은편 벽 위에는 그레고르가 군대에 있을 때 찍은 사진이 걸려 있었다. 육군 소위로 있을 때의 사진이다. 한쪽 손을 칼 위에 대고 거리낌없이 웃는 모습은 마치, 자기의 태도와 군복의 위엄에 대해 경의를 표하라고 요구하는 것같이 보였다. 현관 옆방으로 통하는 문은 열려 있었다. 그리고 현관문도 열려 있어서, 현관 앞에 있는 계단 입구가 내다보였다. 이어서 아래층으로 통하는 첫 번째 계단이 보였다.

"그러면……."

하고 그레고르가 입을 열었다. 냉정한 태도를 잃지 않고 있는 사람은, 오로지 자기 자신뿐이라는 것을 그레고르는 똑똑히 인식하고 있었다.

"옷을 입고 견본을 챙겨서 곧 출발하겠습니다. 출발해도 괜찮을까요? 그런데 지배인님, 저는 고집이 세지 않습니다. 그리고 일하기를 좋아하는 사람입니다. 솔직히 말해 출장 여행은 괴롭습니다. 그러나 길을 떠나지 않고는 살아갈 수가 없습니다. 지배인님은 어디로 가실 겁니까? 상점으로 가십니까? 가셔서 모든 일을 사실대로 보고하실 겁니까? 지금 당장 저에게는 일할 능력이 없습니다. 하지만 제가 열심히 일했던 시간들을 기억해 주셨으면 합니다. 비록 지금은 불편한 몸이지만, 이 시간은 저에게 더 부지런히 일하도록 마음을 가다듬을 수 있는 가장 좋은 때입니다. 게다가 저는 식구들이 걱정됩니다. 지금 저는 일하기에 곤란한 처지에 있습니다. 하지만 머지않아 이런 처지에서 벗어나도록 노력하겠습니다. 저를 전보다 더 어려운 입장에 빠지지 않도록 도와주십시오. 상점에 가서는 제 편을 들어주십시오. 사람들이 외무 판매원을 좋아하지 않는다는 것을 저도 잘 압니다. 외무 판매원은 돈을 많이 벌어서 화려한 생활을 한다고 생각하지요. 사람들의 이런 그릇된 생각을 고칠 수 있는 기회는 좀처럼 없을 겁니다. 그러나 지배인님, 지배인님은 다른 사원들보다 상점의 실정을 잘 알고 계실 겁니다. 다른 사람이 없으니 말씀드리는 건데, 사장님보다 지배인님이 더 회사 사정을 잘 알고 계십니다. 사장은 기업주라는 자신의 위치 때문에, 고용인에 대해서 불리한 판단을 내리기 쉽습니다. 지배인님도 잘 아시지 않습니까? 일 년 내내 상점 밖으로 나가 일을 하는 외무 판매원이라는 직업이 늘 뒷소문이 많고, 터무니없는 비난을 받기 쉽다는 것을요. 그런데 외무 판매원은 이런 것들을 막아 낼 도리가 없습니다. 여행을 마치고 집에 돌아오면, 몸은 지칠 대로 지쳐서 엉망이 되고 말지요. 지배인님, 떠나시기 전에 제발 제가 드리는 말씀이 어느 정도 옳다고 한 마디만이라도 해 주십시오."

그러나 지배인은 그레고르가 말을 시작하자마자 몸을 옆으로 돌리고, 입술을 삐죽 위쪽으로 치켜올리고는 그레고르를 두려운 눈으로 쳐다볼 뿐이었다.

그는 그레고르가 말하는 동안에도 가만히 있지 못하고, 문 쪽을 향해 뒷걸음질을 했다. 지배인은 현관 입구에 이르자 재빨리 몸을 돌렸다. 그러고는 거실에서 날쌔게 발을 뺐다. 그 모습을 본 사람이라면 아마, 지배인이 발꿈치를 불에 데기라도 한 것으로 생각했을 것이다. 지배인은 날쌔게 계단 쪽으로 내려가려고 했다.

그레고르는 이 일로 상점에서 자신의 위치가 안 좋아질 것이라는 사실을 깨달았다. 그래서 위험을 최소화하기 위해서는 지배인을 절대로 그냥 보내서는 안 된다고 생각했다. 부모는 이런 실정을 이해하지 못했다. 부모는 오래 전부터 그레고르가 이 상점에서 착실하게 일하면, 평생 동안 별 문제없이 살 수 있다고 확신하고 있었다. 그러나 지금 당장 눈앞에 펼쳐진 일 때문에, 장래를 생각할 마음의 여유조차 없었다. 하지만 그레고르는 장래 일을 염려했다.

그레고르는 지배인을 붙들어 놓고 그의 마음을 가라앉힌 다음, 설득시켜야 한다고 생각했다.

'이럴 때 그레테가 있으면 좋겠는데…….'

그레테는 영리하고 눈치가 빨랐다.

'여자 앞에서는 맥을 못 추는 지배인이니까, 그레테의 말이라면 지배인도 마음을 바꿀 수 있을 거야. 그레테라면 지배인을 붙잡고, 오늘의 이 이상하고 괴이한 사건을 해명할 수 있을 거야.'

그러나 그레테는 그 자리에 없었다. 그러니 그레고르가 직접 자기 일을 처리해야 했다. 과연 그는 지금, 스스로 몸을 움직일 수 있을까? 알 수 없다. 또 말을 한다고 하더라도 십중팔구 상대방은 그레고르의 말을 알아듣지 못할 것이다. 하지만 그레고르는 그런 점을 생각하지 못했다. 그레고르는 문 옆을 지나 슬금슬금 문틈으로 몸을 내밀고, 문지방을 넘어 지배인에게 가려고 했다. 그 때 지배인은 우스꽝스러운 모습으로 현관 계단의 난관을 두 손으로 잡은 채 몸을 의지하고 있었다.

그레고르는 무언가 의지할 것을 붙잡으려고 허우적거리다가, 나직한 소리를 내면서 그만 마루 위에 쓰러졌다. 그러자 이상하게도 아침에 일어난 후 처음으로 그는 육체적인 쾌감을 느꼈다. 그레고르는 발 밑의 단단한 마루를 딛고 있었다. 다행히 발들이 그레고르 마음대로 움직여주었다. 발들은 적어도 그레고르가 가려고 하는 방향으로 움직이면서, 그레고르가 그 곳으로 갈 수 있도록 도와주었다. 조금만 참으면 고통은 사라지고 건강도 회복될 것 같았다.

그레고르는 무턱대고 움직이려는 마음을 억누르고, 어머니에게서 가까운 바로 맞은편 마루 위에 몸을 흔들면서 누워 있었다. 그 때 어머니는 완전히 넋이 빠진 듯 생각에 잠겨 있다가, 갑자기 벌떡 일어나서 두 팔을 쭉 뻗으며 소리를 질렀다.

"사람 살려! 아아, 사람 살려요!"

어머니는 그레고르를 더 잘 보기 위해 머리를 기울이는 것 같더니, 반대쪽으로 정신없이 달아나 버렸다. 그러고는 자기 뒤에 식탁이 있다는 것도 까맣게 잊고는 식탁까지 가더니, 자신도 모르게 그만 식탁 위로 뛰어올라갔다. 그 바람에 커피 주전자에서 커피가 쏟아져, 양탄자 위로 줄줄 흘러내렸다. 하지만 어머니는 그것도 모르고 있었다.

"어머니, 어머니!"

그레고르는 나직한 목소리로 어머니를 부르며, 식탁 위에 앉아 있는 어머니를 올려다보았다. 그 순간 그레고르의 머릿속에는 지배인에 대한 생각이 사라졌다. 그레고르는 흘러내리는 커피를 보고는, 몇 번이나 입을 벌리고 핥아먹었다. 그 때 어머니가 다시 한 번 비명을 지르며 식탁에서 뛰어내려 도망을 쳤다. 그러고는 맞은편에서 달려온 아버지의 팔에 안겨 쓰러졌다.

그레고르는 그 순간 부모를 살필 겨를이 없었다. 지배인은 벌써 계단 위에 서서 턱을 난간 위에 올려놓고, 마지막으로 뒤를 돌아다보았다. 그레고르는 지배인을 붙잡고 이야기해 보려고 달려갔다. 하지만 지배인은 벌써 눈치를 채고 한 번에 계단을 몇 개씩 뛰어 내려가고 있었다.

"휴우, 다행이다."

지배인이 계단 밑에서 한숨을 쉬며 말하는 것이 들려왔다. 지배인이 도망을 치자, 그 때까지 냉정한 태도를 보이던 아버지가 갑자기 당황하기 시작하는 것 같았다. 왜냐하면 아버지의 태도를 보면, 지배인의 뒤를 쫓아가는 것도 아니고 그렇다고 그레고르가 지배인의 뒤를 따라가는 것을 막으려고 하는 것도 아니었기 때문이다.

아버지는 지배인이 의자 위에 두고 간 지팡이를 오른손에 들고, 왼손에는 신문을 들고 왔다. 그러고는 지팡이와 신문을 휘두르고 발을 구르면서, 그레고르를 방으로 몰아넣으려고 했다. 그레고르가 아무리 애원해도 소용이 없었다. 그레고르는 애원하는 것을 단념하고 머리를 돌리려고 했다. 하지만 아버지는 더 요란하게 발을 굴렀다. 어머니는 몹시 추운 날씨임에도 불구하고 창문을 열었다. 그러고는 얼굴을 밖으로 쑥 내밀고 두 손으로 가렸다.

그 때 골목길과 계단 사이로 세찬 바람이 불었다. 커튼이 날리고, 책상 위에 있던 신문이 우수수 소리를 내면서 마루 위로 날아가 떨어졌다. 아버지는 사정없이 그레고르를 방 안으로 몰아넣었다. 그레고르는 뒷걸음질치는 방법을 몰라서 허둥거렸다. 만일 돌아설 수만 있었다면, 아버지가 자기를 몰아넣지 않아도 스스로 자기 방으로 들어갔을 것이다. 하지만 몸을 돌리는 데는 시간이 걸렸다. 그는 이렇게 우왕좌왕하는 자신의 모습에 아버지가 화를 낼까 봐 두려웠다. 언제 어느 때 아버지가 손에 들고 있는 지팡이로, 자기 등이나 머리를 때릴지 몰라서 벌벌 떨었다. 어쨌든 방향을 돌려야 했다. 왜냐하면 뒷걸음질치다가는 방향을 바로잡을 수 없기 때문이다. 그래서 그레고르는 아버지를 불안한 눈으로 힐끔힐끔 쳐다보며, 될 수 있는 대로 재빠르게 방향을 돌렸다. 하지만 그 동작은 매우 느렸다.

아버지는 그레고르의 마음을 알았는지, 그레고르를 심하게 괴롭히진 않았다. 도리어 멀리서 지팡이 끝으로 이리저리 도는 방법을 가르쳐 주었다. 다만 그레고르는 아버지가 자기를 야만인처럼 "슛슛." 하며 모는 소리가 듣기 싫었다. 그 슛슛 하는 소리를 들으니 머리가 어질어질 돌 지경이었다.

거의 다 돌아섰을 때 슛슛 하는 소리 때문에, 정신이 헷갈려서 그만 지나치게 몸을 돌리고 말았다. 다행히 그레고르의 머리가 문 입구에 닿아서 돌리는 것을 멈출 수 있었다.

그레고르는 똑바로 일어서기만 하면 문을 문제없이 통과할 수 있을 거라고 생각했지만, 그러기 위해서는 여러 가지 까다로운 준비가 필요했다. 하지만 아버지는 절대로 그것을 허락할 것 같지 않았다. 도리어 아버지는 그레고르 앞에 놓인 장애를 생각하지 않고, 이상한 소리를 내면서 어떻게 해서든지 그레고르를 방으로 몰아넣으려고 했다. 그레고르 뒤에서 들려오는 소리는 아무리 들어도, 이 세상에 단 한 분밖에 없는 아버지의 목소리 같지가 않았다.

그레고르는 될 대로 되라는 듯이 문을 향해 돌진했다. 순간 그의 몸 한쪽이 들리더니 문틈에 비스듬히 쓰러졌다. 한쪽 옆구리가 스치면서 상처가 났다. 하얀 문에 더러운 얼룩이 생겼다. 그레고르는 문에 꼭 틀어박혀 혼자서는 움직일 수도 없었다. 발들은 허공에서 버둥댔다. 다른 쪽 발들은 마룻바닥에 짓눌려서 무척 아팠다.

그 때 아버지가 그레고르를 힘차게 밀었다. 그 바람에 그레고르는 상

처투성이가 되어, 자기 방 안 깊숙이 처박혔다. 아버지는 지팡이로 문을 쾅 하고 닫았다. 주위는 조용해졌다.

2

저녁이 되어서야 그레고르는 실신상태 같은 괴로운 잠에서 깨어났다. 누가 깨우지 않아도 더 잠을 잘 수가 없었다. 그는 실컷 잠을 자고 마음껏 쉬었다고 느꼈다. 그레고르는 누군가가 재빨리 걸어가는 발소리와, 현관으로 통하는 문이 조심스럽게 닫히는 소리에 잠이 깬 것 같았다. 가로등의 불빛이 천장과 가구 위를 푸르스름하게 비추고 있었다. 하지만 그레고르가 누워 있는 침대 쪽은 깜깜했다. 그레고르는 무슨 일이 있는지 알아 보려고 슬금슬금 기면서, 불안하게 촉각으로 더듬으며 문 쪽으로 기어갔다.

왼쪽 옆구리 어딘가에 난 상처가 당겨 왔다. 그레고르는 두 줄로 달린 작은 발들을 번갈아 절름거리며 걸어갔다. 아침에 사고가 나서 발 하나가 몹시 상했기 때문이다. 그래도 발 하나만 다친 것은 거의 기적이었다. 그레고르는 다친 다리를 힘없이 질질 끌었다.

문 옆까지 와서야 그레고르는 왜 자기가 문 쪽으로 왔는지 알았다. 그레고르를 문 쪽으로 이끈 것은 바로 음식 냄새였다. 달콤하게 구미를 돋우는 우유가 그릇에 가득 있었고, 그 위에 흰 빵 조각이 둥둥 떠 있었다. 그레고르는 음식을 보자 너무 기뻐서 웃을 뻔했다. 아침보다 배가 더 많이 고팠기 때문이다. 그레고르는 머리를 우유 속에 처박았다. 그러다 옆구리 상처가 너무 아파서 머리를 다시 들어야 했다.

그레테가 일부러 그레고르가 좋아하는 음식을 갖다 준 것이다. 하지만 자기가 좋아하는 음식이었음에도 그는 전혀 맛을 느끼지 못했다. 웬

일인지 그 맛이 지긋지긋하기까지 했다. 그레고르는 먹는 걸 그만두고 방 한가운데로 다시 기어갔다.

그레고르는 문틈으로 거실을 보았다. 전등불이 켜져 있었다. 예전 같으면 이 시간에 아버지나 어머니가 그레테에게 석간 신문을 소리내어 읽어 주었을 것이다. 그러면 그레테는 신문 기사 내용을 그레고르에게 편지로 써서 알려 주거나, 직접 들려주었던 것이다. 이제는 식구들이 함께 모여 신문을 읽는 일도 그만둔 모양이다. 더 이상 아무 소리도 들리지 않았다.

'식구들이 분명히 집에 있을 텐데…….'

주위는 너무 고요했다.

'어쩌면 이렇게 조용할까?'

그레고르는 어둠 속을 바라보았다. 예전에 그레고르는 자기가 부모나 그레테를 위해 이런 좋은 집과, 살림을 돌본다는 것을 자랑스럽게 생각했다. 그런데 그런 생활을 갑자기 접어야 한다면 어떻게 되는 걸까? 그레고르는 불길한 생각에 휩싸이지 않으려고, 부지런히 몸을 움직이며 방 안을 이리저리 기어다녔다.

저녁에서 밤이 되는 동안 옆문이 조금 열렸다가 닫혔다. 누군가 방으로 들어오려다 망설이는 것 같았다. 그레고르는 망설이고 있는 사람을 어떻게든 방으로 들어오게 하든지, 아니면 적어도 누가 방 안으로 들어오려고 하는지를 알기 위해 문 옆에 붙어 섰다.

그러나 더 이상 문은 열리지 않았다. 아무리 기다려 보아도 소용이 없었다. 아침에 문이 잠겨 있었을 때는 식구들과 지배인이 방 안에 들어오려고 애를 썼다. 그런데 지금은 문을 잠그지 않았는데도, 아무도 들어오려고 하지 않았다. 오히려 반대로 밖에서 문을 잠그고 열쇠를 꽂아 놓았다.

밤 늦게서야 비로소 거실에 불이 켜졌다. 거실에 불이 켜진 것으로 보아, 부모와 그레테가 늦게까지 잠을 이루지 못하고 있다는 것을 알 수 있었다. 왜냐하면 그 시간에 세 사람이 발끝으로 사뿐사뿐 걸어다니는 소리를 들었기 때문이다.

다음 날 아침이 되어도, 아무도 그레고르의 방에 들어오지 않았다. 그래서 그레고르는, 자기의 이 낯선 생활을 어떻게 보내면 좋을까를 생각했다. 어느 누구의 방해도 받지 않고, 조용히 생각해 볼 충분한 시간이 있었다. 하지만 그레고르는 이 방이 싫어졌다. 일을 마치고 돌아와 바닥에 벌렁 눕곤 했던 것이 오 년이나 되었는데도 말이다.

그레고르는 자기도 모르게 몸을 돌려 소파 밑으로 들어가려고 했다. 자기 모습이 싫고 부끄러웠다. 소파 밑으로 들어가니 등허리가 눌리고, 머리도 들 수 없었지만 기분은 어느 정도 풀렸다. 다만 몸집이 뚱뚱해서, 소파 밑으로 쑥 들어갈 수 없는 것이 안타까웠다.

그레고르는 밤새도록 소파 밑에 누워서, 반쯤 졸다가 배가 고파서 잠이 깨기도 했다. 때로는 걱정과 막연한 희망 속에 잠겨 깨어 있기도 했다. 하지만 식구들의 행동을 생각하면, 그는 곧 냉정을 되찾곤 했다.

그레고르는 아직 해가 뜨지 않은 새벽녘에, 자기가 마음먹은 결심을 시험해 볼 기회를 얻었다. 옷을 다 입은 그레테가 문을 열고, 잔뜩 긴장된 얼굴로 방 안을 들여다보았다. 그레테는 그레고르를 빨리 찾지 못했다. 그러다가 소파 밑에 있는 오빠를 발견했을 때는 깜짝 놀라 기겁을 하며 밖으로 나가 버렸다. 하지만 그레테는 자기가 한 일을 후회하는 듯 다시 문을 열고 들어왔다. 마치 중환자가 있는 집이나 낯선 손님이 옆에 있는 것처럼, 발꿈치를 들고 들어왔다. 그레고르는 소파 가장자리까지 바짝 머리를 내밀고, 그레테를 쳐다보았다.

'그레테는 내가 우유를 먹지 않고 남긴 것을 보았을까? 사실은 배고

고프지 않아서 남겨 놓은 것이 아닌데……. 우유는 이제 내 입에 맞지 않아. 내 입맛에 맞는 음식을 갖다 주면 얼마나 좋을까?'

하지만 그레고르의 바람과는 달리, 그레테가 자진해서 음식을 갖다 줄 것 같지는 않았다. 그리고 동생한테 그렇게 해 달라고 하는 것보다, 차라리 그대로 굶어죽는 편이 낫다고 생각했다. 하지만 소파 밑에서 기어나와 그레테 발 밑에 몸을 던지고, 어떤 음식이라도 먹을 테니 갖다 달라고 말하고 싶었다.

그레테는 바닥에 우유가 조금 흘러 있고, 아직 그릇 안에 우유가 그대로 있는 것을 보고 몹시 놀라는 것 같았다. 그레테는 우유가 든 그릇을 들어올렸다. 그런 다음 그레테는 걸레로 그릇을 싸서 밖으로 나갔다. 그 모습을 보고 그레고르는, 혹시 우유 대신 다른 것을 갖다 주는 것은 아닐까 하고 생각했다.

그레테는 벌레로 변해 버린 오빠가, 어떤 것을 좋아하는지 시험해 보려고 여러 가지 음식을 갖고 왔다. 그레테는 그 음식들을 낡은 신문지 위에 펴 놓았다.

오래 돼서 썩은 야채가 있는가 하면, 흰 소스가 말라붙은 저녁때 먹다 남긴 뼈다귀도 있었다. 건포도와 편도 몇 알, 이틀 전에 그레고르가 맛이 없다고 한 치즈, 아무것도 바르지 않은 빵과 버터 바른 빵, 버터를 바르고 소금을 뿌린 빵 등이었다. 그리고 아마도 식구들이 그레고르 전용으로 정했을 물그릇을 내려놓았다. 그레테는 오빠가 자기 앞에서는 아무것도 먹지 않을 것이라고 판단했는지 재빨리 나갔다. 그러고는 밖에서 문을 잠갔다.

식사를 하려고 그레고르의 작은 발들이 꿈틀거렸다. 몸에 난 상처는 어느덧 다 나았는지 조금도 불편하지 않았다. 이 사실을 알자 그레고르는 매우 놀랐다. 한 달 전에 그레고르는 칼로 손가락을 약간 베였는데,

엊그제까지도 몹시 아팠었다.

'혹시 감각이 둔해진 게 아닐까?'

그레고르는 이렇게 생각하고 허기증에 걸린 것처럼, 여러 가지 음식 가운데서 가장 입맛이 당기는 치즈를 먹었다. 그는 연달아 쉴새없이 먹었다. 너무나 흐뭇해서 눈물까지 흘리며 치즈, 야채, 소스 등을 차례로 먹어치웠다.

이상하게도 신선한 음식은 맛이 없었다. 신선한 음식은 냄새조차 맡기 싫었다. 그레고르는 자기가 먹고 싶은 것을 옆으로 가지고 가서 실컷 다 먹고는, 빈둥거리며 그 자리에 벌렁 누워 있었다.

그 때 그레테가 천천히 열쇠를 돌렸다. 그것은 오빠에게 있어야 할 자리로 돌아가라는 얌전한 신호였다. 그레고르는 스르르 잠이 들었지만, 열쇠가 돌아가는 소리에 깜짝 놀라서 부랴부랴 소파 밑으로 기어 들어갔다.

그레테가 방 안에 있는 동안, 그레고르는 소파 밑에 들어가 꾹 참고 있었다. 하지만 이렇게 소파 밑에 들어가 있는 일은 여간 힘들지 않았다. 왜냐하면 음식을 많이 먹어서 몸집이 약간 뚱뚱해진 탓에 숨도 제대로 쉴 수가 없었기 때문이다. 그레고르가 튀어나온 눈으로 동생을 보니, 그레테는 아무것도 눈치채지 못하고 먹다 남은 찌꺼기와 그레고르가 전혀 손도 대지 않은 음식까지 모조리 쓸어 담았다. 그레테는 음식 쓰레기를 성급히 통 속에 붓고는 나무 뚜껑으로 닫은 뒤, 방을 나가 버렸다.

그레테가 방을 나가자마자 그레고르는 소파 밑에서 기어나와 '휴' 하고 숨을 내쉬었다.

그레고르는 날마다 이렇게 식사를 했다. 한 번은 아침에 부모와 하녀가 잠을 자고 있을 때, 두 번째는 모두가 점심을 먹은 후였다. 왜냐하면 부모는 점심 식사 후에 잠시 낮잠을 자고, 하녀는 그레테의 심부름으로 장을 보러 나가기 때문이다.

이런 시각에 먹을 것을 주는 이유는 그레고르를 굶겨 죽이고 싶지는 않지만, 그레고르의 식사에 대해서는 그레테의 입을 통해 듣는 것만으로 충분하다고 생각했기 때문이다. 또 그레테도 식구들이 진력이 나도록 많은 고생을 하고 있었기 때문에, 식구들의 슬픔을 덜어 주려고 이 일을 자청하고 나선 것이다.

첫날 아침에 식구들이 의사와 자물쇠 장수에게 뭐라고 말해서 돌려보냈는지 그레고르는 전혀 알지 못했다. 왜냐하면 아무도 그레고르가 사람들이 하는 말을 이해할 수 있다고는 생각하지 않았다. 그레테도 마찬가지였다. 그래서 그레고르는 그레테가 자기 방에 들어와도 그녀가 가끔 한숨을 쉬거나, 성자의 이름을 부르는 소리를 듣는 것으로 만족해야 했다.

얼마 후 그레테는 그레고르를 돌보는 데 어느 정도 익숙해졌다. 물론 완전히 익숙해지는 것을 바랄 수는 없지만 말이다. 그레테는 때때로 그레고르에게 친절한 말이나 다정하게 느껴지는 말을 했다. 그레고르가 식사를 남기지 않고 다 먹어치우면,

"오늘 식사는 맛있었나 봐!"

하고 말하고는 쓸쓸한 표정을 지었다.

그레고르는 새로운 소식을 하나도 들을 수가 없었다. 그래서 늘 옆방에서 사람들이 무슨 이야기를 나누는지 엿들었다. 옆방에서 사람 소리가 들리면, 즉시 문 옆으로 달려가서 온몸을 문에 바싹 갖다 댔다. 그레고르가 늘 화제의 중심이었다. 처음 이틀 동안 식구들은 식사를 할 때

마다 이 일을 어떻게 처리하면 좋을지를 상의했다. 그러나 식사하는 시간이 아니어도 늘 같은 이야기였다.

식구들 중 어느 누구도 혼자 집에 남아 있고 싶어하지 않았다. 그렇다고 집을 비워 둘 수도 없었기 때문에, 집 안에는 늘 두 사람 이상이 있어야 했다. 하녀는 그레고르가 벌레로 변한 첫날에, 어머니에게 이 집을 나가게 해 달라며 무릎을 꿇고 애원했다. 하지만 하녀가 그레고르의 변신에 대해 무엇을 얼마나 알고 있었는지는 확실하지 않았다.

십오 분 후에 하녀가 어머니에게 작별 인사를 할 때, 하녀는 자기를 내보내 주는 것이 이 집에서 자기에게 베푼 가장 큰 은혜인 것처럼 눈물을 흘리며 감사했다. 그레고르의 집에서는 하녀에게 아무것도 부탁하지 않았는데, 오히려 하녀가 먼저 그레고르가 벌레로 변한 사실을 다른 사람들에게 절대로 말하지 않겠다고 맹세했다.

하녀가 집을 나가고 나서 그레테는, 어머니와 함께 음식을 만들어야 했다. 식구들은 누구나 식욕을 잃었기 때문에, 음식 만드는 것에 그다지 신경을 쓰지 않아도 되었다. 식구들은 서로 "많이 먹어." 하며 음식을 권하거나, "고마워, 많이 먹었어."라는 투의 말만 했다. 술도 거의 마시지 않는 것 같았다. 가끔 그레테가 아버지에게 "맥주 드실래요? 제가 갖고 올게요." 하며 정답게 묻기도 했다. 하지만 아버지는 아무 대답도 하지 않았다. 그레테는 아버지의 쓸데없는 걱정을 덜어 드리려고 생각한 모양이다.

"그러면 문지기 할머니를 보낼까요?"

하고 동생이 다시 물었다. 그러나 아버지는 커다란 목소리로,

"안 마신다니까."

하고 딱딱하게 대답했다. 그러면 이야기는 더 이상 진전되지 않았다.

아버지는 그레고르가 벌레로 변한 첫날에 식구들과 함께, 집 안에 있는 재산과 앞으로 일어날 일들을 이야기했다. 때때로 아버지는 탁자 옆에서 일어나, 작은 금고 속에 있는 증서라든지 장부 같은 것을 꺼내 왔다. 그 금고는 아버지가 오 년 전에 사업에 실패하여 파산했을 때 간신히 건져 온 물건이었다.

아버지가 금고의 복잡한 자물쇠를 열고, 그 속에서 증서들을 끄집어낸 다음 다시 금고 문을 닫는 소리가 들렸다. 아버지의 설명은 어떤 면에서는, 그레고르가 방 안에 갇혀 사는 생활을 한 이후로 처음 듣는 흐뭇한 이야기였다.

그레고르는 아버지의 사업이 파산했으니, 아버지에게는 돈이 한 푼도 없을 거라고 생각했었다.

아버지가 파산했을 때, 그레고르의 심적인 고통은 이만저만이 아니었다. 식구들을 절망에 빠뜨린 파산의 불행에서 벗어나려고, 그레고르는 무척 애를 썼었다. 그래서 그레고르는 열심히 일을 했고, 보잘것없는 점원으로 시작해서 순식간에 외무 판매원까지 올라갔다. 외무를 맡아 보면 다른 방법으로도 돈을 모을 수 있고, 수수료 형식으로 즉시 현금을 만질 수도 있었다. 그 돈을 집으로 갖고 와서 탁자 위에 올려놓으면, 식구들은 깜짝 놀라기도 했다.

그 때는 남부러울 것이 없었다. 그 후로도 그레고르는 식구들의 생활비를 부담할 만큼 많은 돈을 벌었고, 또 생계를 유지해 나갔다.

하지만 시간이 흐르면서 식구들은 그레고르가 벌어 오는 돈에 익숙해지면서 그가 돈을 버는 것을 당연하게 생각했다. 그리고 더 이상 서로 간의 따뜻한 감정은 오가지 않았다. 그러나 그레테만은 오래도록 그레고르와 가까웠다.

그레고르는 내년에 그레테를 음악학교에 보내려고 마음먹고 있었다.

음악학교에 다니는 데에는 많은 비용이 들지만, 별로 걱정하지 않았다. 그는 그 비용 정도는 다른 수단으로 벌 수 있다고 생각했다.

그레고르는 쉬는 날에는 그레테와 음악학교에 대해 이야기했다. 그러나 그레테가 음악학교에 가는 것은 아름다운 꿈에 지나지 않았다. 부모는 자식들이 이런 순진한 이야기를 하는 것에 대해 절대로 기뻐하지 않았다. 하지만 그레고르는 그레테를 음악학교에 보낼 수 있다고 확신했다. 그래서 크리스마스 이브가 되면 식구들에게 이 일에 대해서 진지하게 말하려고 작정하고 있었다.

그레고르는 문에 기댄 채 꼿꼿이 서서 아버지가 말하는 것을 듣고 있었다. 그러면서 현재 자기 입장에서는, 그레테를 음악학교에 보낼 수가 없다는 생각이 들었다. 때로는 온몸이 노곤해져서 엿듣고 있기도 힘이 들었다. 그래서 머리를 문에 부딪치기도 했다. 그러면 그는 문을 꼭 붙들었다. 왜냐하면 그레고르가 조그만 소리라도 내면, 옆방에 있는 사람들이 일제히 입을 다물었기 때문이다.

"또 무슨 짓을 하는구나."

하고 아버지가 그레고르의 방문을 향해 말을 했다.

그리고 잠시 후에 그들은 다시 이야기를 나누었다. 그레고르는 식구들이 나누는 대화를 자세히 들을 수 있었다. 왜냐하면 아버지는 자기가 한 말에 대해 설명을 되풀이하는 버릇이 있었다. 어머니는 무슨 말이든 첫 번에 알아듣지 못했기 때문에, 아버지는 같은 말을 몇 번이고 반복해야 했다.

그레고르가 똑똑히 들은 이야기는 그레고르 집안에 안 좋은 일이 생겼지만, 과거의 재산이 아직도 조금 남아 있다는 것이었다. 그 동안 손대지 않고 내버려 둔 돈에 약간의 이자가 붙었다는 것이다. 그 밖에도 그레고르가 다달이 집에 벌어다 준 돈을 다 쓰지 않고 저금해 두었던 것이다. 그레고르는 월급을 받으면 용돈으로 겨우 이삼 굴덴밖에 쓰지 않았다. 그 덕분에 아버지는 어느 정도의 목돈을 마련해 두었던 것이다.

문 앞에서 그레고르는 머리를 끄덕이며 아버지가 하는 말을 열심히 들었다. 그리고 기대하지 않았던 일이 벌어지고, 식구들이 절약해야 한다는 소리를 들었을 땐 기쁘기까지 했다. 어쩌면 아버지는 그런 식으로 해서 사장에게 빚진 돈을 갚았을지도 모른다. 그렇게 되었다면 그레고르는 벌써 그 직장에서 발을 뺄 수 있었을지도 모른다.

그러나 돈을 모아 두었지만, 그 이자로 식구들이 살아가기에는 너무 힘이 들 것이다. 아마 일 년, 오래 버텨야 이 년 정도 살 수 있을까. 그 이상 버텨 나가기는 어려웠다. 그 돈은 애당초 손을 대서는 안 되고, 만일을 대비해서 남겨 놓아야 할 정도의 금액이었다. 그래서 생활비만은 누군가가 꼬박꼬박 벌어야 했다.

사실 아버지는 몸이 건강하다. 하지만 늙어서 오 년 동안 아무 일도 하지 못했다. 게다가 생활에 그리 자신도 없었다. 아버지는 지난날 고생만 하면서, 보람 없이 살아왔다. 그러다 그는 최근 오 년 동안 쉬면서, 몹시 뚱뚱해지고 동작도 둔해졌다.

그러면 늙은 어머니가 돈을 벌어야 할까? 어머니는 나이가 많은데다 천식을 앓고 있었다. 어머니는 잠시만 돌아다녀도 숨쉬기가 곤란해 이틀에 한 번 꼴로 창문을 열어 놓고, 소파에 앉아서 지내는 형편이었다.

그러면 그레테가 돈을 벌어야 한단 말인가? 그레테는 아직 열일곱 살 먹은 처녀다. 그 어린 그레테에게 살림을 맡길 수는 없는 노릇이다. 그레테가 지금껏 한 일이라면 깨끗한 옷을 입고 잠이나 실컷 자고, 집안일을 도와주고, 때로는 구경이나 하러 다니고, 바이올린이나 켜며 지내는 게 고작이었다. 그러니 돈벌기는 틀렸다.

식구들이 돈에 대해 이야기할 때마다, 그레고르는 문 옆을 떠나서 창 옆에 있는 차디찬 가죽 소파 위에 몸을 던졌다. 그레고르는 너무 부끄럽고 서글펐다.

그레고르는 밤새도록 소파 위에 엎드려 잠을 이루지 못했다. 누워서 가죽만 쥐어뜯을 때가 많았다. 가끔씩은 어렵지 않게 의자 하나를 창가로 밀어 놓고 창턱에 기어올라가, 창 밖을 내다보던 때의 해방된 느낌을 생각해 보기도 했다. 예전에 그레고르는 아침저녁으로 보던 맞은편 병원을 무척이나 싫어했었다. 그런데 지금은 그 병원 건물이 조금도 보이지 않았다.

만일, 그레고르가 한적하지만 도회지 같은 샤로텐 거리에 살고 있다는 사실을 확실히 알지 못하고 있었더라면, 회색 하늘과 회색 대지가 서로 합쳐져서 지평선이 분간되지 않는 광야를 창에서 내다보고 있다고 생각했을지도 모르겠다.

무슨 일에든지 세심한 그레테는, 의자가 창가에 있는 것을 두 번밖에 보지 못했다. 그러나 그레테는 방을 치우고 나면, 번번이 의자를 창가에 갖다 놓았다. 그리고 창문까지도 열어 놓았다.

그레고르는 그레테와 말을 할 수 있다면, 그레테가 자기를 위해 하는 모든 일에 대해서 감사하고 싶었다. 그래야 그레테가 자기를 위해 하는 봉사를, 훨씬 편한 마음으로 받아들일 수 있을 것 같았다. 그러나 그러지 못하기 때문에 그레고르는 몹시 괴로웠다.

그레테는 할 수 있는 대로 불쾌한 기분을 씻어 내려고 애썼다. 날이 지날수록 그레테도 점점 나아졌다. 그리고 그레고르도 시간이 지나면서 모든 일을 훨씬 정확하게 볼 수 있었다.

그러나 이제 그레테가 들어오기만 해도 그레고르는 소름이 쫙 끼쳤다. 그전 같으면 오빠 방에 들어서면서부터 오빠의 모습을 아무에게도 보이지 않으려고 온갖 애를 쓰던 그레테는, 이제 방 안에 들어오자마자 문을 황급히 닫고는 창가로 뛰어갔다. 그러고는 숨이 막힌다는 듯이 창문을 열어젖혔다.

그레테는 날씨가 아무리 추워도 개의치 않았다. 그레테는 창가에 서서 잠시 동안 심호흡을 했다. 이처럼 그레테는 하루에 두 번씩이나 수선을 떨어서 그레고르를 놀라게 했다. 그레테가 방 안에 있는 동안, 그레고르는 소파 밑에서 떨고 있었다. 그레테가 창문을 열어 놓으면 너무 추웠다. 물론 그레테가 창문을 열어 놓는 것을 오빠가 싫어한다는 것을 알았다면, 그런 행동을 하지 않을 거라는 것을 그레고르는 잘 알고 있었다.

그레고르가 벌레로 변한 지 한 달이 지난 어느 날이었다. 그레테는 이제 그레고르를 보고 놀랄 이유가 없었다. 그레고르는 언제나 소파 밑에 숨어 있었기 때문이다.

하지만 언젠가 그레테가 보통 때보다 일찍 방 안으로 들어온 적이 있었다. 그 때 그레테는 그레고르가 창문을 내다보고 있는 것을 보았다. 그레테는 그 모습을 보고 옴짝달싹 못하고 그만 까무러칠 뻔했다. 그래서 그레고르는 얼른 소파 밑으로 몸을 숨겼다. 어쩌면 누군가가 그 장면을 보았다면, 그레고르가 그레테를 기다리고 있다가 물어뜯으려고 했을 거라고 오해했을지도 모른다.

이 일이 있고 나서 그레테는 점심때까지 나타나지 않았다. 그레테는 그 어느 때보다 불안해 보였다. 오빠의 추한 모습을 본다는 것이, 그녀로서는 여전히 참을 수 없는 일이었다. 앞으로도 그럴 것이다. 이것은 그레테의 태도를 보고 알 수 있었다.

소파 밑에 툭 튀어나온 자기 모습의 일부를 힐끗 보고도 도망치지 않는 것은, 그레테 나름대로 무척 애쓰며 참고 있는 것이라고 그레고르는 생각했다.

그레테에게 이런 자기 모습을 보여 주지 않으려고 그레고르는 머리를 썼다. 그레고르는 등에다 리넨 홑이불을 지고 소파 위로 올라갔다. 그리고 자기 몸을 가릴 수 있을 만큼 다 가렸다. 이 일은 네 시간이나 걸렸다. 덕분에 그레테가 아무리 몸을 굽히고 들여다보아도, 자기 모습을 볼 수 없게 만들었다.

만일 그레테가 홑이불을 뒤집어쓰는 것이 쓸데없는 일이라고 생각한다면, 오빠가 덮고 있는 홑이불을 걷어치웠을 것이다. 그러나 그레테도 그레고르가 재미 삼아 몸을 숨기는 것이 아니라는 것쯤은 잘 알고 있었다. 그레테는 홑이불을 치우지 않았다. 벌레로 변한 오빠의 모습을 보는 것이 과히 좋은 일이 아니었기 때문이다. 언젠가 그레고르는, 그레테가 홑이불을 덮고 있는 것을 어떻게 생각하는지를 알아보려고 했다. 그래서 머리로 홑이불을 약간 들치고 그레테를 보았다. 그 때 그레테는 못마땅하다는 눈초리로 힐끗 그레고르를 쳐다보았다.

부모는 처음 두 주일 동안 그레고르 방에 들어오지 못했다. 그레고르는 부모가 그레테가 하는 일을 칭찬하는 소리를 종종 들었다. 지금껏 부모는 그레테를 쓸데없는 존재라고 생각했었다. 그리고 그레테 일에 대해서는 화만 냈었다. 그러나 이제는 그레테가 그레고르 방을 청소하고, 음식을 나르는 일을 하는 것이 기특하다고 여기게 되었다.

그레테가 그레고르의 방을 치우는 동안, 부모는 방 앞에서 그레테가 나오기만을 기다렸다. 그레테가 청소를 마치고 방문을 나서자마자 부모는 아들이 어떻게 하고 있는지, 조금씩 사람으로 변할 기미는 없는지를 딸에게 물었다.

그레테는 부모에게 자세하게 설명해야 했다. 어머니는 조만간 아들을 만나 보려고 했다. 하지만 아버지와 그레테는 여러 가지 이유를 대면서, 어머니가 방 안으로 들어가는 것을 막았다.

그레고르는 그 이유를 알고 있었다. 그리고 그 이유가 타당하다고 생각했다. 그러나 어머니는 끝내 고집을 부렸다. 그러자 식구들은 어머니를 억지로 붙들었다.

그 때 어머니는 큰 소리로 외쳤다.

"그레고르에게 가게 해 줘요. 그 아이는 내 아들이에요. 불행한 아들이라고요!"

어머니가 소리를 지를 때 그레고르는 날마다는 아니어도, 일주일에 한 번이라도 어머니가 들어와 주었으면 정말 좋겠다고 생각했다.

한편 그레테는 대담한 구석이 있었지만 아직도 어린애였다. 그러니 가벼운 기분으로 이런 힘든 일을 맡았을 것이다.

어머니를 보고 싶은 그레고르의 소원이 마침내 이루어졌다. 그레고르는 낮에 부모를 걱정해서 창가에 가 있지 않았다. 그러나 좁은 방바닥을 기어다니는 것은 심심해서 견딜 수가 없었다. 가만히 누워 있는 것도 지겨웠다. 음식을 먹는 것에도 흥미를 잃었다. 그래서 그는 계속해서 벽이나 천장을 기어다니면서 기분을 바꿔 보려고 애썼다.

그래서 그레고르는 자주 천장에 매달려 있었다. 천장에 매달리는 것은 방바닥을 기어다니는 것과는 다른 기분이었다. 숨도 자유로이 쉴 수 있었다. 가벼운 진동이 온몸에 퍼지는 듯한 느낌도 괜찮았다.

그레고르는 흐뭇한 기분으로 천장에 매달려 있다가, 잠시 정신을 놓는 바람에 방바닥에 철썩 떨어지는 때도 있었다. 그러면 스스로도 깜짝 놀랐다. 그러나 이제는 전과 달라서 몸을 자유자재로 움직였다. 그래서 높은 곳에서 떨어져도 다치는 일은 거의 없었다.

그레테는 그레고르가 혼자서 고안한 이 새로운 취미를 곧 알아챘다. 그레고르는 기어다닐 때 여기저기에 찐득찐득한 점액의 발자국을 남겨 놓았다. 그래서 그레테는 될 수 있는 대로 넓은 데로 오빠가 기어다닐 수 있도록 했다. 그래서 기어다니는 데 방해가 되지 않도록 가구들을 치우려고 했다.

우선 그레테는 옷장과 책상을 치우려고 마음먹었다. 그러나 그레테 혼자서는 이 일을 할 수 없었다. 아버지에게는 감히 도와달라고 부탁할 수가 없었다. 하녀도 자기를 도와줄 것 같지 않았다.

열여섯 살인 하녀는, 전에 일하던 하녀가 나간 후로 모든 일을 도맡아 했다. 끈기가 대단한 여자였다. 하녀는 부엌 문은 꼭 잠가 두고, 특별한 일로 주인이 부를 때만 문을 열겠다고 미리 허락을 받아 놓았다.

그레테는 아버지가 안 계실 때, 어머니를 불러서 가구를 치워야겠다고 생각했다. 어머니에게 그레고르 방에 있는 가구를 옮기는 일을 부탁했을 때, 어머니는 기뻐서 어쩔 줄 몰랐다.

몹시 흥분하여 달려온 어머니는 그레고르의 방 앞에서 멈춰 섰다. 그레테는 우선 방 안이 제대로 정돈되어 있는지를 살펴보고, 어머니를 방 안으로 안내했다. 그레고르는 재빠르게 홑이불 속으로 기어들어갔다. 홑이불을 깊숙이 뒤집어쓰고 더 많은 주름을 만들었다. 이것은 홑이불 속에 자기가 숨어 있다는 것을 감추기 위해서였다.

그레고르는 홑이불 속에 들어가서 바깥을 내다보고 싶었지만 꾹 참았다. 그저 어머니가 자기 방에 와 준 것만으로 기뻐해야 했다. 어머니를 놀라게 하고 싶지는 않았던 것이다.

"어머니, 들어오세요. 오빠는 보이지 않아요."

그레테가 어머니에게 말했다.

그레테가 어머니의 손을 잡아끄는 모양이었다. 잠시 후 어머니와 그레테 둘이서, 그 무거운 옷장을 끌어 내는 소리가 들렸다. 그레테가 거의 힘을 썼기 때문에 어머니는,

"너무 무리하지 마라."

하며 염려했다.

어머니는 그레테에게 몇 번이나 조심하라고 주의를 주었다. 하지만 그레테는 어머니의 말을 듣지 않는 것 같았다. 옷장을 옮기는 데는 시간이 많이 걸렸다. 십오 분 정도 일을 하고 나서, 어머니가 그레테에게 말했다.

"이 옷장은 그냥 있던 곳에 두는 게 좋을 것 같다. 너무 무거워서 아버지가 돌아오시기 전까지 이 일을 끝낼 수 없을 것 같아. 그리고 이 옷장을 방 한가운데 두면 그레고르가 다니는 데 방해가 될 것이고, 또 가구들을 치웠다고 해서 그레고르가 좋아할지 어떨지도 모르잖아. 그레고르도 오랫동안 이 가구들과 정이 들었을 텐데 말이다. 방 안이 텅 비면 틀림없이 네 오빠는 쓸쓸해할 거야. 그러니 가구는 옮기지 말자."

어머니는 속삭이듯 나직하게 그레테에게 말했다. 어머니는 자기 아들이 어디 있는지 모르지만, 자기 목소리가 그에게 들리지 않을까 염려하는 것처럼 보였다.

"가구를 다 치워 버리면 우리는 그레고르의 병세가 나아지는 것을 단념하고, 그 애를 혼자 내버려 두는 셈이 되는 거야. 방은 그대로 두는 게 좋을 것 같은데, 네 생각은 어떠니?"

그레고르는 어머니가 하는 말을 듣고는 정신이 번쩍 들었다.

만약 가구를 모조리 치워 버린다면 사방을 자유롭게 다닐 수 있을 것이다. 하지만 그와 동시에, 자신이 사람이었던 시절을 완전히 잊어버리게 되는 것이다.

'내가 대대로 물려받은 가구를 없애고, 방을 동굴로 만들어 버릴 생각을 하다니…….'

사실 그레고르는, 자기가 자신의 과거를 거의 잊어버린 것은 아닌가 하고 생각했다. 혹시 오랫동안 듣지 못했던 어머니의 목소리가, 그의 마음을 뒤흔든 것은 아닌가 하고 말이다.

'어머니 말이 맞아. 가구는 하나도 치우면 안 돼. 전부 그대로 두어야 해. 가구가 있어서 기어다니는 데 방해가 되어도 어쩔 수 없어. 가구가 있는 것이 나에게 이익이 될망정, 해를 주지는 않을 거야.'

그러나 그레테는 어머니와 생각이 달랐다. 그 점이 그레고르를 섭섭하게 했다.

그레테는 그레고르의 문제를 의논할 때면, 어느 누구보다 그레고르를 잘 아는 사람이 되었다. 사실 그레테는 부모들보다, 그레고르의 사정을 훨씬 더 잘 알고 있었다. 그레테가 그렇게 자부하는 것은 당연한 일이다.

그레테는 처음에는 옷장과 책상만 치워 버리려고 했었다. 그러던 것이 어머니의 충고를 듣고 나자, 오히려 그것뿐 아니라 나머지 가구까지 다 없애야 한다고 고집을 부렸다. 다만 오빠가 숨어 있는 소파만은 제외하고 말이다. 누이동생이 이렇게 주장하는 것은 어린아이다운 반항심과 자부심 때문만은 아니었다.

그레테는 나름대로 오빠가 기어다니려면 넓은 장소가 필요하다고 여겼던 것이다. 그래서 이 방에 가구는 전혀 소용이 없다고 생각했다.

그레테가 그렇게 강력하게 자기의 의견을 내세운 것은, 그 나이의 처녀들이 가지고 있는 열광적인 기질도 크게 작용했을 것이다.

그 열광적인 마음은 그레테에게 가구를 없애는 것이, 그레고르를 위하는 일이라고 생각하게 만들었다.

하지만 방 안에 가구를 없애는 것은 그레고르의 상황을 한층 더 비참하게 만드는 것이었다. 왜냐하면 텅 비어 있는 방에 그레고르 혼자 있게 된다면, 그레테 이외에는 아무도 그의 방에 들어오려고 하지 않을 것이기 때문이었다.

그레테는 어머니의 충고를 듣지 않았고, 자기의 결심을 번복하지도 않았다.

어머니는 그레고르의 방에 있는 것만으로도 어쩐지 불안해 보였다. 어머니는 곧 입을 다물고 아무 말도 하지 않았다. 그리고 옷장을 밖으로 내놓으려는 딸을 도와주었다. 그런데 옷장은 없어도 되지만, 책상만은 남겨 두어야 했다. 그레고르는 옷장이 밖으로 나가자마자, 조심스럽게 소파 밑에서 머리를 내밀었다. 그리고 어떻게 하면 이 일을 막을 수 있을까를 생각하며, 주위를 살펴보았다. 그러나 불행히도 어머니가 동생보다 먼저 방으로 들어왔다. 그레테 혼자 옆방에서 옷장에 매달려 이리저리 옷장을 흔들고 있었다. 하지만 옷장은 꿈쩍도 하지 않았다.

어머니는 그레고르의 모습을 제대로 본 적이 없었기 때문에, 하마터

면 어머니의 기분을 몹시 상하게 할 뻔했다. 그레고르는 당황한 나머지, 재빨리 소파의 다른쪽 모퉁이로 뒷걸음질쳤다. 하지만 그 때 홑이불 앞쪽이 약간 움직였다. 그것은 어머니의 시선을 끌기에 충분했다. 어머니는 홑이불이 움직이는 것을 보고는 멈칫하더니, 옆방에 있는 딸에게 달려갔다.

그레고르는 별다른 일이 생긴 것도 아니고, 단지 두서너 개의 가구를 옮기는 것뿐이라고 자기 자신을 타일렀다. 그런데도 그는 여자들이 자기 방을 드나드는 소리와 서로를 나직하게 부르는 소리, 마룻바닥에서 가구가 직직 끌리는 소리가 뒤섞여 들리자, 마치 커다란 소동이 일어나는 것 같아 무서웠다. 그래서 될 수 있는 대로 머리와 발을 움츠리고, 몸을 마룻바닥에 바싹 대고 있었다.

이윽고 그는 더 이상 참을 수가 없어서 비명을 지르지 않을 수 없었

다. 어머니와 그레테는 자기 방을 완전히 비우려 하고 있었다. 자기가 좋아하는 모든 것을 방 안에서 내가고 있었다.

실톱과 그 밖의 도구들이 들어 있는 옷장은 벌써 바깥으로 나갔다. 다음으로 어머니와 그레테는 마룻바닥에 꼭 박혀 있는 책상을 흔들고 있었다. 그레고르는 상업대학에 다닐 때 이 책상에서 공부를 했다. 그보다 훨씬 전인 초등학교 때부터 이 책상에서 숙제를 했었다.

사태가 이렇게 되고 보니 그레고르는, 어머니와 그레테가 품은 좋은 의도를 잊어버렸다. 그는 어머니와 그레테가 방에 있다는 사실조차 잊어버렸다. 가구들을 나르느라 지칠 대로 지친 어머니와 그레테는, 아무 말 없이 일에만 열중하고 있었다.

그레고르는 더 이상 참을 수가 없어서 소파 밖으로 기어나왔다. 어머니와 그레테는 숨을 돌리기 위해 옆방 책상에 기대어 잠시 쉬고 있었다.

그레고르는 어디로 갈까 망설였다. 그는 가야 할 방향을 네 번이나 바꿨다. 사실 어떤 가구와 물건만을 남겨 두어야 할지 분간할 수가 없었다. 그 때 텅 빈 벽에 걸린 그림 하나가 보였다. 털가죽으로 몸을 감싼 뚱뚱한 여자의 그림이었다. 그 그림이 유난히 그레고르의 눈에 띄었다.

그레고르는 재빨리 그림이 있는 곳으로 기어올라갔다. 그러고는 유리 위에 몸을 붙였다. 유리에 몸이 꼭 붙어서 후끈거리던 배가 시원해지자, 그는 기분이 좋아졌다.

그레고르는 자기가 온몸으로 가리고 있는 이 그림만은 아무에게도 빼앗기고 싶지 않았다. 그레고르는 어머니와 그레테가 들어오는 것을 보기 위해 거실로 통하는 문 쪽으로 머리를 돌렸다. 이윽고 어머니와 그레테가 방으로 돌아왔다.

"어머니, 이번에는 무엇을 치울까요?"

그레테는 이렇게 말하고 주위를 두리번거렸다. 그 때 그레테는 액자 유리에 붙어 있는 그레고르의 눈과 마주쳤다. 그레테는 얼른 고개를 어머니에게로 수그렸다. 그러고는 온몸을 떨면서 말했다.

"가요, 어머니. 잠시만 거실로 가요."

그레테가 왜 그러는지 그레고르는 잘 알았다. 그레테가 어머니를 안전하게 모셔 놓고, 그 다음에 와서 자기를 벽에서 쫓아 내려고 한다는 것을.

'자, 그레테. 마음대로 해 봐.'

그레고르는 그림 위에 찰싹 달라붙어 움직이지 않았다. 그는 그림을 절대 내주지 않을 기세였다. 만약 그레테가 그림을 떼내면, 그레테 얼굴 위로 뛰어내리려고 작정했다.

그런데 거실로 나가자는 그레테의 말은 도리어 어머니의 마음을 흔들리게 했다. 어머니는 옆으로 몇 걸음 가더니, 액자 위에 있는 커다랗고 누런 반점을 발견했다. 어머니는 그 반점이 그레고르라는 것을 미처 깨닫기도 전에, 거칠고 날카롭게 비명을 질렀다.

"아이고, 아이고!"

어머니는 두 팔을 쩍 벌리고는 절망스러운 몸짓으로 소파 위에 쓰러졌다. 그러고는 꼼짝달싹도 하지 않았다.

"어머나, 오빠!"

그레테는 그레고르에게 주먹을 휘두르며, 날카로운 눈초리고 쏘아보았다. 이 말은 그레고르가 벌레로 변하고 나서 처음으로, 그레테가 자기한테 내뱉은 말이었다. 그레테는 어머니를 진정시키려고, 각성제를 찾으러 옆방으로 달려갔다. 그레고르는 어머니를 도와주고 싶었다. 그레고르는 유리에 착 달라붙어 있었기 때문에, 억지로라도 몸을 떨어뜨리기 위해 애를 썼다.

간신히 유리에서 떨어진 그레고르는, 자기도 옆방으로 빠르게 기어갔다. 벌레로 변하기 전처럼 그레테에게 무슨 충고라도 해 주고 싶었다. 그러나 막상 벌레로 변하고 보니, 충고는커녕 그레테 뒤에 우두커니 서 있을 수밖에 없었다.

그레테가 여러 가지 병들을 찾고 있다가 별안간 뒤를 돌아보았다. 그레테는 그레고르가 있는 것을 보고 깜짝 놀랐다. 그 바람에 병 하나가 마루에 떨어져서 산산조각이 났다. 깨진 병 조각 하나가 그레고르 얼굴에 떨어지면서 상처를 내고 말았다. 어떤 부식제 같은 액체가 그레고르 몸에 흘러내렸다.

그레테는 이번엔 조금도 우물쭈물하지 않고, 될 수 있는 대로 여러 개의 병을 손에 들고 어머니에게 달려갔다. 그러고는 문을 "탕."하고 닫아 버리는 바람에, 그레고르는 방에 혼자 남게 되었다.

어머니는 그레고르의 모습을 보고 나서 실신해 버린 모양이었다. 그레고르는 어머니의 상태가 궁금했지만 아무런 방법이 없었다. 그레고르는 그대로 기다리는 수밖에 없었다.

그레고르는 자신이 어머니를 그렇게 만들었다는 자책감과, 어머니가 잘못될지도 모른다는 걱정으로 이러저리 기어다니기 시작했다. 그는 벽과 가구와 천장 여기저기를 기어다녔다. 어느덧 방 전체가 자기 주위에서 빙글빙글 돌기 시작했다. 그레고르는 어지러웠다. 결국 그는 큰 책상 위에 보기 좋게 떨어지고 말았다. 하지만 그것은 어지럼증보다는 절망 때문이었을 것이다.

시간이 흘렀다. 그레고르는 힘없이 누워 있었다. 주변이 아주 조용한 것은 아마도 좋은 징조일 것이다. 그 때 초인종이 울렸다. 하녀는 부엌에 틀어박혀 있었기 때문에, 그레테가 문을 열어 주러 나가야 했다. 아버지가 돌아오신 것이다.

"무슨 일이 있었니?"

이것이 아버지의 첫 마디였다.

아버지는 그레테의 표정을 보고, 무슨 일이 있었는지를 알아차린 것이다. 그레테는 아버지 가슴에 얼굴을 파묻고는 어물어물 이렇게 대답했다.

"어머니가 기절하셨어요. 하지만 이제는 괜찮아요. 글쎄, 오빠가 기어 나와서……."

"내 그럴 줄 알았다."

아버지가 말했다.

"내가 늘 말하지 않았니? 어머니와 넌 내 말을 통 들으려고 하지 않더니 결국 이런 꼴을 당하고 말았구나."

그레고르는 아버지가 그레테의 간단한 설명을 듣고, 나쁜 생각을 하고 있다는 것을 알았다. 아버지는 아마도 그레고르가 어떤 난폭한 짓을 저질렀다고 오해하는 것 같았다.

그래서 그레고르는 우선 아버지의 마음을 가라앉히려고 했다. 하지만 아버지에게 사정을 설명할 시간도 없었고, 있다 하더라도 설명할 방법이 없었다. 그레고르는 자기 방문 옆으로 재빨리 달려갔다. 그러고는 문에다 몸을 바싹 붙이고 기댔다. 이것은 아버지가 현관방에서 이 곳으로 들어오자마자, 자기가 방으로 돌아가려 한다는 것을 알리려는 행동이었다. 이것을 본 아버지가 문을 열어 주기만 하면 그만이었다.

하지만 아버지는 그레고르의 기특한 마음을 눈치챌 기분이 아니었다. 아버지는 방 안으로 들어서자마자, 화가 잔뜩 난 것 같은 목소리로 "아!" 하고 외쳤다.

그레고르는 머리를 들어 아버지를 바라보았다. 지금 그레고르 앞에서 있는 아버지의 모습은 이제껏 한 번도 본 적도, 상상한 적도 없는 모습이었다. 게다가 최근에 와서는 이리저리 기어다니는 것에 정신이 팔려서, 전과 같이 집 안에서 일어나는 일에는 관심을 두지 못하고 있었다.

'아버지는 예전에 내가 상점 일로 여행을 떠날 때 보았던, 피로해서 누워 계시던 때의 모습이 아니다. 이 분이 내가 저녁때 돌아올 때면 잠옷을 입고 안락 의자에 앉아서, 나를 맞아 주시던 바로 그 사람이란 말인가? 아버지는 잘 일어서질 못해서, 반갑다는 표시로 두 팔을 쳐들고 나를 맞아 주셨지. 일요일이나 큰 축제가 있는 날에 어쩌다가 식구들과 산책을 할 때는, 가뜩이나 걸음이 느린 나와 어머니 사이에 끼어서 그보다 더 느린 속도로 걸음을 걸으셨어. 그 때 아버지는 낡은 외투를 입고, 언제나 조심스럽게 지팡이를 짚고 걸으셨지. 무슨 말이 하고 싶으면 잠시 걸음을 멈추고, 식구들을 불러서 이야기를 하곤 하셨지. 그런 아버지가 과연 이 분이란 말인가?'

그레고르의 아버지는 지금 꼿꼿이 바로 서 있었다. 게다가 은행원들의 옷처럼 노란 금단추가 달린, 팽팽한 파란색의 정복을 입고 있었다. 윗도리의 높고 빳빳한 칼라 위에는 불룩하게 두 개의 턱이 생겨 있었다. 짙은 눈썹 밑에는 까만 눈동자가 생기 있게 빛나고 있었다.

아버지는 모자를 내던졌다. 모자에는 노란 금실로 큰 글자가 수놓아져 있었다. 분명히 은행 마크였다. 모자는 방 안에서 둥글게 선을 그으면서 소파 위로 떨어졌다.

아버지는 기다란 정복 윗도리와 옷자락을 뒤로 활짝 젖히고, 두 손을 바지 호주머니에 넣고는 못마땅한 표정을 지었다. 그는 잔뜩 얼굴을 찌푸리고 그레고르를 향해 걸어왔다. 아버지가 발을 번쩍 들며 걸어올 때, 그레고르는 아버지의 넓은 장화 바닥을 보고 깜짝 놀랐다. 그는 아버지가 다가오면 도망을 가고, 아버지가 멈추면 자기도 멈췄다. 아버지가 다시 움직이려고 하면 얼른 앞으로 달아났다.

이렇게 아버지와 그레고르는 별다른 소동도 일으키지 않은 채 몇 번이나 방 안을 빙빙 돌아다녔다. 동작이 느렸기 때문에 겉으로 보기에는, 누가 누구를 쫓는 것 같지는 않았다. 벽이나 천장으로 도망을 치면 특별히 악의 있는 행동으로 오해받을까 봐 그는 잠시 마룻바닥에 있기도 했다. 어쨌든 그레고르는 이렇게 기어다니는 것이 오래 계속되지는 않을 것이라고 생각했다. 아버지가 한 발자국 옮기는 동안, 그는 많은 운동을 해야 했다. 벌써 숨이 가빠질 정도였다.

그레고르는 벌레로 변하기 전에도 폐가 약했다. 그러니 벌써 숨이 차는 것도 당연했다. 이렇게 기어다니느라 안간힘을 다하며 비틀거리는 동안에, 그레고르는 눈도 제대로 뜨지 못할 지경이 되었다. 이제는 마룻바닥을 기어서 도망치는 것밖에는 다른 도리가 없었다.

그 때 무언인가가 가볍게 던져지더니 그레고르에게 굴러왔다. 그것은 사과였다. 두 번째 사과가 날아왔다. 그레고르는 겁에 질려서 그만 그 자리에서 발을 멈췄다. 앞으로 달아나도 소용이 없었다. 아버지가 인정사정없이 사과를 그레고르에게 던지고 있었기 때문이다. 아버지는 찬장 위에 있는 과일 접시에서 사과를 집어서, 호주머니에 가득 넣고는 연달아 던졌다.

빨간 사과들은 마루 위를 데굴데굴 굴러다니며 서로 부딪치기도 했다. 아버지가 던진 사과 하나가 그레고르의 등을 스쳤으나, 다행히 빗나갔다. 그러나 다음에 날아온 사과가 그레고르의 등에 정확히 박히고 말았다. 너무 심한 고통에 그레고르는 움직일 수가 없었다. 그레고르는 천천히 앞으로 몸을 밀고 나가려 했다. 그러나 꼼짝달싹할 수가 없었다. 등에 박힌 사과 때문에 온몸의 감각이 망가졌다. 마침내 그는 그 자리에 쭉 뻗어 버리고 말았다.

그 때 방문이 활짝 열리면서, 어머니가 비명을 지르며 그레테 앞으로 튀어나오는 것을 보았다. 이 광경은 그레고르의 마지막 남은 힘으로 본 것이다. 어머니는 아버지에게 달려갔다. 그 와중에 몸에 걸치고 있던 치마가 마룻바닥에 흘러내렸다. 어머니는 비틀거리며 흘러내린 치마를 밟고, 아버지에게 달려가서 아버지를 꼭 껴안았다.

그 때 그레고르의 시력이 말을 듣지 않아 더 이상 볼 수가 없었다. 어머니는 아버지에게 그레고르를 살려 달라고 애원하고 있었다.

3

그레고르는 사과가 등살 속에 박힌 뒤에 한 달 동안이나 아파서 괴로워했다. 아무도 등에 박힌 사과를 꺼내 주지 않았다. 그레고르가 현재 아무리 비참하고 징그러운 벌레의 모습을 하고 있어도, 식구의 한 사람임엔 틀림없었다. 그러니 그레고르를 원수처럼 대해서는 안 될 일이었다. 아버지는 그레고르에 대한 불쾌한 감정을 억눌러야 한다는 것을 깨닫고, 깊이 반성하는 것 같았다.

사과로 인한 부상으로 그레고르는 한동안 움직일 수가 없었다. 벽에 올라가는 것은 그레고르에게 상상조차 못할 일이었다.

하지만 이 일은 결국 그레고르에게 충분한 보상을 받게 해 주었다. 그것은 다름 아닌, 매일 저녁에 거실로 통하는 문을 열어 놓은 것이다. 그래서 그레고르는, 문이 열리기 한 시간이나 두 시간 전부터 언제나 문을 쳐다보았다. 어두운 방에 누워 환히 비치는 탁자 주위에 둘러앉아 있는 식구들을 바라보면서, 식구들이 나누는 이야기를 들었다. 그레고르는 이 시간이 너무 좋았다. 하지만 거실에서는 문이 열린 그레고르의 방이 잘 보이지 않았다.

하지만 예전처럼 그렇게 활기 있는 분위기는 아니었다. 그들은 대체로 조용하게 이야기를 나누었다. 아버지는 저녁 식사를 하고 나면, 곧바로 안락 의자에 앉아서 잠이 들었다. 어머니와 그레테는 서로 조용히 하라고 했다.

어머니는 이불 밑으로 바싹 몸을 구부리고, 속옷을 꿰매고 있었다. 그 속옷은 어느 양장점에서 맡긴 고급 내의였다. 여점원으로 취직한 그레테는 더 좋은 자리를 얻으려고, 저녁이면 속기와 프랑스 어를 공부했다. 아버지는 가끔 잠을 자다가 깨어서는, 자기가 잠들어 있었다는 사실을 전혀 모르는 것처럼 어머니에게 말을 걸었다.

"뭘 그렇게 늦게까지 꿰매고 있어?"

이렇게 말하고는 다시 잠이 들었다. 어머니와 그레테는 아버지가 그렇게 말하고 잠이 들면, 서로 피곤한 얼굴로 미소를 지었다.

아버지는 집에 와서도 고집을 부리고 제복을 벗지 않았다. 그 덕에 잠옷은 아무 쓸모도 없이 옷걸이에 그대로 걸려 있었다. 아버지는 직장에서 심부름을 시키면 곧바로 움직일 기세로, 집 안에서도 제복을 입고 있는 것이다. 마치 상관의 명령이라도 기다리는 것처럼.

그래서 처음부터 새 옷이 아니었던 제복은, 어머니와 그레테가 때를 묻히지 않으려고 조심해서 다뤘지만 점점 더러워지고 낡아 갔다. 그레고르는 아버지가 늘 정성껏 닦아서 번쩍거리는 누런 금단추가 달린 제복을 바라보곤 했다. 그레고르는 이런 제복을 입고, 곤하게 잠든 늙은 아버지가 매우 안쓰러웠다.

시계가 열 시를 치면 어머니는 조용한 목소리로 아버지를 깨웠다. 그러고는 침대로 가서 주무시게 하느라고 무척 애를 썼다. 의자 위에서는 편안하게 잠을 잘 수가 없었고, 아침 여섯 시에 출근하려면 충분한 휴식이 필요했다. 그러나 아버지는 더 오래 탁자 옆에 앉아 있겠다고 떼를 쓰면서, 잠에서 깨어나지 않았다.

어머니와 그레테가 아무리 졸라도 아버지는 눈을 지그시 감고는 느릿느릿 머리를 흔들기만 하면서 일어서려고 하지 않았다. 어머니는 아버지의 소매를 잡아당기며, 기분을 맞춰 주는 말을 속삭였다. 그럴 때면 그레테도 속기나 프랑스 어 공부를 잠시 멈추고 어머니를 도왔다. 하지만 아버지를 침실로 옮기는 데는 별 효과가 없었다. 아버지는 점점 더 깊숙이 의자 속에 몸을 파묻었다. 어머니와 딸을 번갈아 쳐다보며 이렇게 중얼거리기 일쑤였다.

"이것이 인생이야. 늙은 나의 안식이란 말야. 내 안식은 요 모양 요 꼴이지."

그러고는 모녀의 부축을 받고 마지못해 일어났다. 그러면서 자기 몸이 점점 무거워진다는 것을 알았다. 모녀가 문 근처까지 끌고 가면 그는 고개를 끄덕이고는, 혼자서 걸어 침대까지 갔다.

많은 일에 시달리고 지칠 대로 지친 식구들 중에, 그레고르를 친절하게 돌봐 줄 여유가 있는 사람이 있을까? 집안 살림은 점점 궁색해지기 시작하여, 마침내 하녀까지도 내보냈다. 몸집이 크고 뼈대가 굵은 할머니가, 아침저녁으로 집에 드나들며 힘든 일만 거들어 주었다. 그 밖의 모든 일은 어머니가 맡아서 했다. 어머니는 굉장히 많은 바느질을 하면서도 틈틈이 집안일을 해치웠다.

어머니와 그레테가 축제 때 즐겨 걸쳤던 장식품도 하나 둘씩 팔려 나갔다. 그레고르는 이런 집안 사정을 저녁때 식구들이 나누는 이야기를 통해 알았다. 그러나 무엇보다도 이 집의 가장 큰 걱정거리는 그레고르였다. 지금 집안 형편으로는 이렇게 넓은 집에서 사는 것은 무리지만, 이 집을 떠날 수는 없었다. 이사를 한다고 해도, 어떻게 그레고르를 옮길 수 있을지 엄두가 나지 않았다.

그러나 그레고르는 식구들이 주저하는 이유가 자기 때문만은 아니라는 것을 잘 알고 있었다. 왜냐하면 자기 하나쯤은 몸의 크기에 맞는 궤짝에 넣고, 공기가 잘 통하는 구멍을 두서너 개 뚫어 놓으면 되기 때문이다.

식구들이 이사를 하지 못하는 가장 큰 원인은 오히려 다른 데 있었다. 그것은 자기들이 이제까지 겪어 본 일이 없는 그런 비참한 불행을 당하고 있다는 절망감과 피해의식 때문이었다.

아버지는 하급 은행원들에게까지 아침 식사를 날라다 주어야 했으며, 어머니는 알지도 못하는 사람들의 속내의까지 바느질해 주었다. 그레테는 손님이 명령하는 대로 카운터 뒤에서 이리저리 뛰어다녔다. 식구들은 더 이상 일할 여력이 없었다. 어머니와 그레테가 아버지를 침대로 데려다 주고 나면 두 사람은 거실로 돌아와 하던 일을 멈추고, 뺨이 닿을 정도로 가깝게 앉았다.

그리고 어머니는 그레고르의 방을 가리키며,

"그레테, 저 문 좀 닫아 줄래?"

하고 말했다.

그러면 그레고르는 어둠 속에 혼자 남게 되었다. 그레고르의 방문을 닫고 나면 어머니와 그레테는 함께 눈물을 흘린다. 어느 때는 눈물조차 말라서 탁자만 뚫어지게 바라보았다. 그럴 때면 그레고르는 사과가 박힌 등의 상처가 새삼스럽게 더 아파 왔다.

그레고르는 잠을 이루지 못하는 날들이 점점 많아졌다. 때때로 그레고르는 문이 열리면, 예전에 자기가 하던 일을 다시 해 보면 어떨까 생각했다. 그의 머릿속으로 사장과 지배인, 점원과 견습생들, 그리고 머리가 나쁜 하인이나 다른 직장에서 일하고 있는 몇 명의 친구, 지방에 있는 호텔의 하녀, 자기가 청혼했던 어떤 모자 가게의 여자 회계원 등의 모습이 전혀 낯선 사람이나, 이미 다 잊어버린 사람들의 모습과 뒤섞여 자꾸 떠올랐다.

그러나 이런 사람들 모두 자기와 식구들을 도와주기는커녕, 서먹서먹하게만 했다. 그래서 그레고르는 그 사람들의 모습이 머릿속에서 사라지기를 바랐다. 그런가 하면 그레고르는 전혀 식구들을 걱정할 기분이 생기지 않을 때도 있었다. 어느 때는 식구들이 자기를 학대하는 것에 화가 나고, 서글퍼지기까지 했다.

어느 날, 그레고르는 자신이 어떤 음식을 좋아하는지도 모르면서, 식당까지 기어가려고 했다. 식욕은 없었지만, 그래도 구미에 맞는 음식을 먹어 볼 계획을 꾸몄다. 그레테는 오빠에게 어떤 음식이 좋을지를 더 이상 생각하지 않았다. 그저 상점에 나가기 전에 닥치는 대로, 있는 음식을 간단히 챙겨서 그레고르 방 안에 밀어넣었다. 그것도 발 끝으로 밀어넣었다. 그리고 저녁이 되면 그 음식을 조금 먹었거나 전혀 입을 대지도 않은 것에 대해 걱정도 하지 않고, 아무렇지도 않게 빗자루로 남은 음식을 밖으로 쓸어내 버렸다.

그 전에 그레테는 저녁마다 방청소를 말끔하게 해 주었는데, 이제는 아무렇게나 되는 대로 방을 치웠다. 더러운 자국이 벽에 그대로 남아 있고, 여기저기 먼지와 쓰레기, 오물 덩어리가 흩어져 있었다. 그레고르는 그레테가 들어오면, 일부러 더러운 구석에 누워서 그레테에게 핀잔을 주려고 했다. 그러나 몇 주일이나 그 더러운 곳에 누워 있어도, 그레테는 상관하지 않았다. 그레테는 아무렇지도 않게 더러운 방과 물건들을 바라보면서도, 그냥 내버려 두기로 작정한 모양이었다.

사실 식구들은 모두 신경과민에 걸려 있었다. 하지만 그레테는 그레고르의 방을 청소하는 일에 대해 나름대로 신경을 쓰며, 다른 가족이 이 일을 하는 것을 무척 싫어했다.

어느 날 어머니가 물을 몇 통 길어다가 그레고르의 방을 청소한 적이 있었다. 그 바람에 그레고르의 방은 온통 물 천지가 되었고, 그레고르는 습기 때문에 기분이 몹시 상했다. 그레고르는 꼼짝도 못하고 소파에 엎드려 있기만 했다.

저녁이 되어 퇴근을 한 그레테는, 그레고르의 방이 달라진 것을 보았다. 그레테는 어머니가 그레고르의 방을 청소한 것을 보고, 심한 모욕이라도 당한 것처럼 불쾌해했다. 그러고는 화를 내며 안방으로 뛰어 들어갔다. 어머니는 딸을 달랬지만, 그레테는 몸부림까지 치면서 울었다. 부모는 딸의 그런 행동을 어쩔 줄 몰라 하며 바라보고만 있었다.

아버지는 왜 그레고르의 방 청소를 딸에게 맡기지 않고 직접 했느냐고 어머니를 나무랐다. 그레테는 흐느껴 울며 앞으로 절대로 오빠 방을

POSTER

청소하지 않겠다며 앙탈을 부렸다. 그레테는 분을 참지 못해, 조그만 주먹으로 탁자를 두드렸다. 그레고르는 식구들의 이런 소동을 보고 싶지 않았으나, 아무도 문을 닫아 주는 사람이 없자 화가 치밀어 쉿쉿 소리만 내며 씩씩거렸다.

아무리 그레테가 일 때문에 피곤해서 전처럼 오빠를 챙겨 주는 게 힘들다고 해도, 그레테를 대신해서 어머니가 방을 청소할 필요는 없었다. 그 늙은 할머니가 있기 때문이었다.

할머니는 아무리 어려운 역경도, 강한 체력으로 이겨 낼 수 있는 사람이었다. 그리고 처음부터 그레고르의 이상한 모습을 보는 것을 싫어하는 기색도 없었다.

할머니는 언젠가 호기심 때문이 아니라, 우연히 그레고르의 방문을 연 적이 있었다. 그 때 그레고르는 매우 당황해서 어떻게 해야 할지 갈피를 못 잡고 이리저리 기어다녔다. 할머니는 두 손을 아랫배 위로 모아 쥐고 놀라는 표정을 지으며, 그 자리에 우두커니 서 있었다. 그 때부터 할머니는 아침저녁으로 그레고르의 방문을 살그머니 열고는 그레고르를 들여다보곤 했다.

할머니는 나름대로 친절을 베푼다는 말투로 "이리 오너라, 늙은 말똥벌레야." 하거나, "어휴 저 늙은 똥벌레 좀 봐." 하며 그레고르를 자기 옆으로 오게 했다. 그레고르는 이런 말을 들으면 꼼짝도 않고 자기 자리에 엎드려 있었다. 그 할머니가 쓸데없이 자기를 괴롭히면, 차라리 날마다 방이나 청소하라고 시켰으면 좋겠다는 생각도 들었다.

어느 이른 아침이었다. 봄이 다가오는 것을 알려 주는 듯이 비가 창문에 들이치고 있었다. 할머니가 그레고르의 방문을 열고, 전과 같은 말투로 그를 놀리기 시작했다. 그레고르는 쓰러질 것 같고 기운이 없었지만, 화가 나서 덤벼들듯이 할머니에게 몸을 향했다. 그러자 할머니는 무서워하기는커녕 문 옆에 있던 의자를 들어올렸다. 입을 딱 벌리고 서 있는 할머니의 꼴을 보니, 할머니가 무슨 일을 저지를지 알 수 있었다. 할머니는 의자를 높이 올려 그레고르의 등을 내리치려는 것이었다.

"자아, 이렇게 하면 못 덤비겠지?"

할머니는 그레고르가 슬며시 몸을 돌리자, 의자를 가만히 방구석에 갖다 놓았다.

이제 그레고르는 거의 아무것도 먹지 못했다. 다만 기어다니다가 우연히 갖다 놓은 음식 옆을 지나게 되면, 장난삼아 입에 조금 넣어 보았다. 하지만 그것을 삼키지 않고, 그냥 입 속에 몇 시간 동안 물고 있다가 뱉어 버렸다. 그레고르는 식욕이 나지 않는 이유가, 자기 방이 점점 엉망이 되어 가는 것이 슬퍼서라고 생각했다. 하지만 그레고르는 곧 자기 방의 변화에 대해 익숙해졌다.

이제 식구들은 다른 방에 둘 수 없는 것들을, 그레고르 방에 들여놓기 시작했다. 그런 물건은 이 집 안에 굉장히 많았다. 왜냐하면 방 하나에 하숙을 놓았기 때문이다. 새로 들어온 사람은 세 사람이었는데, 모두 털보였다. 이들이 털보라는 것은 그레고르가 문틈으로 확인한 사실이다. 그들은 이 집에서 하숙을 하는 이상, 집 안 전체의 청결 문제에 참견할 정도였다. 심지어 부엌일까지 참견했다. 게다가 그들은 가구를 많이 가져왔다. 그래서 식구들은 원래 이 집에 있던 물건들을 어디다 두어야 할지 몰랐다.

결국 식구들은 둘 곳이 마땅치 않은 물건들을 모두 그레고르 방에다 갖다 두었다. 팔거나 버리기에는 아까운 물건들이었다. 그들은 부엌에서 내버리는 상자와 쓰레기통까지 그레고르 방에다 갖다 놓았다. 우선 당장 쓰지 않는 물건들이 보이면, 할머니는 잽싸게 그레고르의 방에다 넣었다. 할머니는 그 물건을 쓸 일이 생기면, 다시 물건들을 꺼내 가거나 한꺼번에 갖다 버리려고 했다. 하지만 물건들은 대부분 처음 내던져진 곳에 그대로 있었다.

그레고르는 이런 잡동사니 사이를 다닐 수가 없었다. 그래서 할 수 있는 대로 잡동사니들을 옆으로 치워 버렸다. 그러나 이 일은 무척 고되고 힘들었으며, 게다가 마음은 한없이 슬퍼졌다. 그래서 그는 몇 시간 동안 아무것도 하지 않았다. 옴짝달싹하지 않다 보니, 물건들을 옮기는 것에도 점점 더 흥미를 잃었다.

하숙생들은 저녁 식사를 하면서 거실을 사용했다. 때문에 저녁이 되면 방문이 닫혀 있을 때가 많았다. 그레고르는 방문을 억지로 열려고 하지 않았다. 그전에도 저녁마다 문이 열려 있었지만, 식구들의 눈에 띄지 않도록 컴컴한 자기 방 구석에 누워 있었다.

언젠가 할머니가 방문을 약간 열어 놓은 적이 있었다. 방문은 하숙하는 사람들이 거실로 들어와서, 불을 켤 때까지 열려 있었다.

하숙생들은 전에 아버지와 어머니, 그리고 그레고르가 앉아 있던 식탁에 앉아서 냅킨을 펴고, 나이프와 포크를 손에 잡았다. 곧 고기를 소복이 담은 대접을 들고 어머니가 나타났다. 그 뒤로 그레테가 감자 대접을 들고, 어머니를 따라 들어왔다. 음식에서 김이 무럭무럭 났다. 냄새가 구미를 돋우었다. 하숙생들은 무슨 검사라도 하려는 듯이, 자기들 앞에 놓인 대접 위로 허리를 구부려서 음식을 살피고 냄새를 맡았다.

그들 중 가운데 앉은 남자가 대접에서 고기 한 점을 베더니 고기가 덜 익었는지, 어떤지를 알아 보기 위해 맛을 보았다. 그는 곧 만족한 표정을 지었다. 덕분에 긴장된 표정으로 남자의 얼굴을 들여다보던 어머니와 그레테는, 안도의 한숨을 쉬고는 미소를 지었다.

이제 식구들은 부엌에서 식사를 했다. 그래도 아버지만은 부엌으로 가기 전에 거실로 가서, 모자를 손에 들고 인사를 하고는 식탁을 한 번 둘러보았다. 그러면 하숙하는 사람들은 모두 일어나서 뭐라고 중얼거렸다. 하숙생들은 아버지가 부엌으로 가면, 아무 말도 하지 않고 조용히 식사를 했다. 그레고르는 그들이 식사하는 소리를 들었다. 그런데 그들은 한결같이 음식을 씹는 소리가 이상했다. 그 소리는 그레고르에게 음식을 먹으려면 이가 필요하고, 이 없는 턱은 아무 소용이 없다는 것을 깨닫게 해 주었다.

"나도 먹고 싶은걸……."

하고 그레고르는 혼자 중얼거렸다.

'저 사람들은 잘도 먹는데, 나는 이렇게 비참하게 죽어 가는구나…….'

바로 그날 저녁, 그레고르는 부엌 쪽에서 나는 바이올린 소리를 들었다. 그레고르가 벌레로 변한 후, 처음 듣는 바이올린 소리였다.

하숙생들이 저녁 식사를 마쳤을 때, 가운데 앉은 남자가 신문을 꺼내 두 사람에게 한 장씩 나눠 주었다. 남자들은 의자에 몸을 기대고, 신문을 읽으며 담배를 피웠다. 바이올린 소리가 나자, 그들은 일제히 그 소리에 주목했다. 그러고는 자리에서 일어나 부엌을 향해 살금살금 걸어갔다. 하숙하는 사람들의 발소리를, 부엌에 있는 사람들도 들은 것 같았다. 아버지가 말했다.

"바이올린 소리가 듣기 싫으신가요? 싫으시면 곧 그만두게 하지요."

"아닙니다."

가운데 앉아 있던 두목 격인 남자가 말했다.

"아가씨가 이쪽으로 와서 연주해 주시면 안 될까요? 그게 더 편하고 기분이 좋을 것 같은데요."

"네, 그러지요."

하고 아버지는 마치 자기가 바이올린을 켠 듯이 으스대며 말했다.

하숙생들이 기다리는 동안, 아버지는 스탠드를, 어머니는 악보를, 그레테는 바이올린을 들고 거실로 들어왔다. 그레테는 침착하게 연주할 자세를 하고 있었다. 이제까지 단 한 번도 남에게 방을 빌려 준 일이 없었기 때문에, 부모는 그들 앞에서 지나치게 예의를 차렸다. 그리고 감히 자리에 앉으려고도 하지 않았다.

아버지는 문에 기대어 선 채, 단추를 꼭 채운 제복의 단추 사이에 오른손을 집어넣고 있었다. 어머니는 하숙하는 사람이 의자를 권해서 자리를 얻어 앉았다. 그 자리는 구석이었지만, 어머니는 의자의 위치를 바꾸지 않고 그대로 앉아 있었다.

이윽고 그레테가 바이올린을 켤 자세를 취했다. 아버지와 어머니는 각자의 자리에서 바이올린을 켜는 딸의 손놀림을 주의 깊게 바라보았다.

그레고르도 바이올린 소리에 마음이 끌렸다. 그리고 자기도 모르게 약간 앞으로 나가 머리를 거실 쪽으로 내밀었다. 그레고르는 요즘 자신이 다른 사람에게 주의를 잘 기울이지 않는 것을 이상하게 여기지 않았다. 그전 같으면, 다른 사람들을 고려해서 행동하는 것을 자랑으로 여겼다.

그러니만큼 지금에 와서는 더욱더 다른 사람의 눈앞에서 자기의 몸을 감춰야 했다. 왜냐하면 자기 방 안은 온통 먼지가 쌓여 있어서 조금만 몸을 움직여도 이내 먼지투성이가 되었기 때문이다. 게다가 실오라기나 머리털, 먹다 남은 음식 찌꺼기 등을 등허리와 옆구리에 붙이고 돌아다녀야 했다.

예전에는 하루에도 몇 번씩 양탄자 위에 누워 몸을 비볐지만, 요즘은 그 일도 하지 않는다. 그레고르는 이렇게 몸이 더러웠음에도 불구하고 티끌 하나 떨어져 있지 않은 깨끗한 거실 위를 기어갔다. 하지만 조금도 거리낌이 없었고, 부끄러운 줄도 몰랐다.

아무도 그레고르가 기어나온 것을 눈치채지 못했다. 사람들은 그레테의 바이올린 연주가 시작되기를 기다리고 있었다. 하숙생들은 처음에는 두 손을 바지 주머니에 넣고, 그레테의 스탠드 바로 뒤에 앉아 있었다. 그 덕에 그들은 악보를 볼 수 있었다.

사람들이 악보를 보는 것은, 그레테에게는 분명히 방해가 된다. 이것을 눈치챘는지, 바로 머리를 수그리고 창문 옆으로 갔다. 아버지는 염려하는 눈빛으로 창문 옆에 있는 남자들을 쳐다보았다.

그레테의 연주가 시작되었다. 아름답고 재미있는 연주를 들을 수 있으리라고 기대했던 그들은, 그레테의 연주가 기대에 못 미쳤는지 곧 실망한 기색을 드러냈다. 이 사람들이 담배 연기를 내뿜는 모습을 보면 알 수 있다. 하지만 그들은 예의를 지켰다. 사람들의 이러한 반응에도 불구하고 그레테는 고개를 옆으로 갸우뚱하고, 한껏 감상에 젖은 표정으로 악보를 보며 연주를 했다.

그레고르는 조금 더 앞으로 기어나갔다. 그는 그레테의 눈과 마주치기를 기대하면서, 고개를 마루 위에 바싹 대고 수그렸다. 이처럼 음악 소리에 감동을 느끼고 있음에도, 그레고르는 여전히 사람이 아닌 벌레였다.

그레고르는 오랫동안 자기가 갈망하고 있던 마음의 양식을 얻은 것 같았다. 그레고르는 그레테 옆으로 기어가려고 했다. 그리고 그레테의 치맛자락을 당겨서, 바이올린을 가지고 자기 방으로 와 주었으면 좋겠다는 뜻을 전하고 싶었다. 왜냐하면 여기에서는 아무도 자기만큼 동생의 연주를 칭찬해 주는 사람이 없기 때문이었다.

그레고르는 적어도 자기가 살아 있는 동안은, 그레테를 이 방에서 내보내고 싶지 않았다. 어쩌면 그것은 쉬운 일이었다. 벌레로 변한 자기 모습을 사람들에게 보여 주면 되니까.

하지만 그것은 그레테의 의사에 맡겨야 했다. 그레고르는 갑자기 자신이, 그레테를 음악학교에 보내 주려고 했던 계획을 생각했다. 자기가 벌레로 변하지 않았더라면 크리스마스 이브에 식구들 앞에서 그 계획을 발표했을 것이다.

'아, 그런데 크리스마스는 지났을까?'
하고 그레고르는 생각했다.

이런 이야기를 하면 그레테는 틀림없이 감격의 눈물을 흘렸을 것이다. 그레고르는 그런 생각을 하면서 그레테 어깨까지 기어 올라가서, 그레테의 목에 키스를 해 주려고 했다. 그레테는 직장에 나가면서도 리본도 칼라도 없이 목을 내놓고 다녔다.

"잠자 씨!"
하고 두목 격인 남자가 갑자기 소리쳤다.

그 남자는 입을 쩍 벌린 채, 천천히 앞으로 기어나오는 그레고르를 손가락으로 가리켰다. 바이올린 연주가 멈췄다. 두목 격인 남자는 고개를 옆으로 저으며, 친구들에게 미소를 던지고는 다시 그레고르를 쳐다보았다. 아버지는 그레고르를 쫓아 내는 것보다 먼저, 하숙생들을 진정시키는 것이 더 중요하다고 생각하는 것 같았다.

그러나 그들은 흥분하기는커녕, 그레고르의 출연에 아주 많은 관심을 보였다. 아버지는 그들에게 달려가 두 팔을 벌리고, 될 수 있는 한 그레고르를 가렸다.

그러자 그들은 화를 내려고 했다. 아버지의 행동에 화가 났는지, 아니면 이상한 벌레와 한집에 살았다는 것에 화를 내는 것인지는 알 수 없었다. 그들은 아버지에게 해명을 요구했다. 그러고는 팔을 쳐들고, 불안하게 수염을 비비 꼬면서 자기네 방으로 향했다.

그 동안 그레테는 멍하니 있다가 곧 정신을 차렸다. 그러고는 축 늘어뜨린 두 손에 바이올린과 활을 쥐고, 연주할 때처럼 악보를 들여다보더니 갑자기 몸을 일으켰다. 그런 다음 그레테는 안락 의자에서 숨을 헐떡이고 있는 어머니 무릎 위에 악보를 놓고, 하숙생들의 방으로 앞질러 뛰어 들어갔다.

하숙생들은 아버지에게 쫓겨서, 그들 방으로 가고 있었다. 그레테는 그들의 방에 먼저 들어가서 익숙한 솜씨로 침대 위에 있는 이부자리와 베개를 보기 좋게 정돈해 놓았다. 그러고는 그 방을 빠져 나왔다.

아버지는 갑자기 터진 상황 때문에, 하숙생들에게 베풀던 친절을 잊어버린 것 같았다. 아버지는 그들을 방으로 돌려보내려고 악착같이 밀어 대고만 있었다. 드디어 방문 앞에 이르렀을 때, 두목격인 남자가 쾅하고 발을 굴렀다. 그 바람에 아버지도 할 수 없이 발걸음을 멈췄다.

"나는 이 자리에서 말하지만……."

두목 격인 남자가 한쪽 손을 쳐들었다. 그는 무슨 중대한 결심이라도 발표하려는 듯이 마룻바닥에 침을 뱉었다. 그리고 어머니와 그레테를 힐끗 쳐다보고 이렇게 말했다.

"현재 이 집 안에 감돌고 있는 불쾌한 분위기 때문에, 나는 이 방을 해약하겠습니다. 물론 지금까지 묵은 방세는 한 푼도 지불할 수가 없습니다. 그 대신 나는 앞으로……. 내 말을 똑똑히 들으십시오. 어떤 손해배상을 요구할지를 신중히 고려할 것입니다."

그 남자는 입을 다물고, 식구들 입에서 무슨 소리가 나올지를 기대하며 똑바로 쳐다보았다. 다른 두 사람도 입을 열었다.

"우리도 마찬가지로 방을 해약하겠습니다."

그러자 두목 격인 남자는 손잡이를 쥐고, "탕." 하고 요란스럽게 문을 닫았다. 아버지는 잠시 비틀거리더니 힘없이 의자 위에 쓰러졌다. 겉으로 보기에는 손발을 늘어뜨리고, 전과 같이 저녁잠을 자는 것 같았다. 하지만 쉴새없이 고개를 끄덕거렸기 때문에, 아버지가 잠을 자지 않는다는 것을 확실하게 알 수 있었다.

그레고르는 자기가 하숙생들에게 들켰던, 바로 그 자리에 조용히 엎드려 있었다. 계획이 실패한 것에 따른 실망과, 굶어서 극도로 쇠약해진 신경 탓에 그는 움직일 수조차 없었다. 그레고르는 당장이라도 자기 몸 위에 여러 가지 물건들이 한꺼번에 쏟아질 것만 같았다.

그 때 어머니의 손가락이 떨리더니, 바이올린이 어머니 무릎 위에서 떨어졌다. 바이올린 떨어지는 소리가 크게 들렸지만, 그레고르는 조금도 놀라지 않았다.

"어머니, 아버지!"

그레테는 이야기를 시작하기 전에, 손으로 탁자를 "탁." 하고 쳤다.

"이제 더 이상은 참을 수 없어요. 어머니와 아버지는 아직 사정을 모르시겠지만 저는 잘 알아요. 저는 이런 벌레를 오빠라고 부르고 싶지 않아요. 저 벌레를 먹여 살리려고, 나는 사람으로서 할 수 있는 일은 다 했어요. 저 벌레를 없앤다고 해서 우리를 나무랄 사람은 없을 거예요."

"그래, 네 말이 옳다."

아버지가 중얼거리듯이 말했다. 아직도 숨을 돌리지 못하는 어머니는 정신 나간 사람처럼 멍하게 앉아 있었다. 어머니는 손을 입에 대고 기침을 하기 시작했다. 그레테는 어머니에게 달려가 이마를 짚어 보았다.

그레테의 말을 듣고 난 아버지는 무엇인가 큰 결심이라도 한 것처럼 보였다. 아버지는 식탁 위에 놓여 있는 접시들 사이에서, 제복의 모자를 더듬으며 가만히 엎드려 있는 그레고르를 쳐다보았다.

"우린 저 벌레를 없애야 해요!"

그레테는 다시 한 번 다짐하듯 말했다. 왜냐하면 어머니는 기침을 하느라, 그레테가 하는 말을 하나도 듣지 못했기 때문이었다.

"저 벌레가 아버지와 어머니의 목숨을 빼앗을 거예요. 우리들은 온갖 고생을 다하며 사는데……. 저런 두통거리를 집 안에 두고 살 수는 없어요. 저는 더 이상 참을 수가 없단 말이에요."

그레테는 이렇게 말하고 울음을 터뜨렸다. 어머니의 얼굴에서도 눈물이 흘러내렸다. 그레테는 기계적으로 손을 움직여서, 어머니의 얼굴에 흐르는 눈물을 닦아 주었다.

"얘야."

하고 아버지가 힘없는 목소리로 말했다.

"그래서 어떻게 한단 말이냐?"

그레테는 아버지에게 아무런 방법도 없다는 듯이 어깨를 으쓱했다. 그레테 역시 그처럼 단호하게 그레고르를 없애야 한다던 처음의 태도와는 반대로, 이제는 어떻게 해야 할지 갈피를 잡지 못했다.

"저놈이 우리 마음을 조금이라도 알아 주었으면……."

아버지가 말했다. 그레테는 울면서, 그런 일은 생각해 볼 여지조차 없다는 듯이 한쪽 손을 내저었다.

"저놈이 우리 마음을 조금이라도 알아 주었으면……."

하고 아버지는 똑같은 말을 반복했다.

그러고는 딸의 생각을 그대로 받아들이려는 듯이 지그시 눈을 감았다.

"그렇다면 저놈하고 타협할 수도 있을 텐데. 그러나 저 모양, 저 꼴이니…….”

“내쫓아야 한다니까요.”

하고 그레테가 외쳤다.

“이제 더 이상 다른 방법은 없어요. 저 벌레가 오빠라는 생각부터 이제 버리셔야 해요. 저 벌레를 우리가 한 가족이라고 너무나 오랫동안 믿어 온 게 불행의 시작이에요. 왜 저게 그레고르인가요? 만일 저게 정말로 그레고르라면, 사람이 저런 벌레와 함께 살 수 없다는 것을 알아차리고 스스로 집을 나갔을 거예요. 그러면 우리는 마음은 아팠겠지만, 안심하고 살아갈 수 있었을 거예요. 그리고 언제까지나 오빠를 그리워했을 거예요. 그런데 저 벌레는 우리들을 못살게 하고, 하숙하는 사람들까지 쫓아냈어요. 나중에는 아마 이 집 전체를 차지하고, 우리들까지 길거리로 내몰지도 몰라요. 어머나, 저것 좀 보세요, 아버지.”

그레테가 갑자기 소리쳤다.

“또 장난을 시작했어요.”

그레테는 공포에 사로잡힌 듯, 어머니의 의자를 박차고 펄쩍 뛰며 뒤로 도망을 갔다. 그러고는 아버지 뒤로 달려갔다. 아버지는 딸의 행동을 보고 당황한 나머지, 그 자리에서 일어나 두 팔을 쳐들었다. 그러나 그레고르는 그레테뿐 아니라 누구도 위협하려고 하지 않았다. 단지 자기 방으로 돌아가려고 몸을 돌렸을 뿐이다. 몸을 조금만 돌리려고 해도 그레고르로서는 힘이 들었다. 그래서 그레고르는 머리의 반동을 이용해야 했다.

그레고르의 이런 괴상한 동작은 사람들의 시선을 끌었다.

그레고르는 몸을 돌리려는 것을 멈추고 사방을 두리번거렸다. 사람들은 그레고르의 악의 없는 의도를 알아주는 것 같았다. 사람들은 그저 순간적으로 놀랐을 따름이다.

이제 식구들은 아무 말도 하지 않고, 슬픈 표정으로 그레고르를 바라보고 있었다. 어머니는 의자에 앉아서 두 다리를 모아서 쭉 뻗고 있었다. 그녀는 굉장히 피곤했기 때문에 눈을 감고 있었다. 눈꺼풀이 몹시 무거워 보였다. 아버지와 그레테는 나란히 앉았다. 그레테는 한 손으로 아버지의 목을 감았다.

'자, 이제는 몸을 돌려도 괜찮겠지.'

그레고르는 그렇게 생각하고 다시 몸을 돌리기 시작했다. 그레고르는 몸을 돌리는 것에 지쳐서, 호흡이 거칠어졌다. 그레고르는 숨을 돌리려고 이따금 쉬었다. 이렇게 몸을 움직이는데도 이제는 아무도 그레고르를 쫓지 않았다. 그레고르가 움직이는 대로 그냥 내버려 두었다.

그레고르는 몸을 돌리고 나서 자기 방으로 곧장 돌아가기 시작했다. 그레고르는 자기 방까지의 거리가 무척 멀게 느껴져서 놀랐다. 조금 전에 이렇게 쇠약한 몸으로, 어떻게 이 먼 곳까지 기어왔는지 도무지 이해가 되지 않았다. 그레고르는 그저 빨리 자기 방으로 기어가려고만 했다. 너무나 열중한 나머지 식구들이 소리를 치며, 자기를 방해하지 않는다는 것도 눈치채지 못했다.

겨우 문 앞까지 왔을 때, 그레고르는 고개를 한 번 돌려 보려고 했다. 하지만 제대로 되지 않았다. 목이 굳어진 것 같았다. 자기 뒤에서는 아무런 변화가 없었다. 다만, 그레테의 서 있는 모습이 보였을 뿐이다. 그레고르는 마지막으로 어머니를 힐끗 보았다. 어머니는 그 때 잠이 들어 있었다.

그레고르가 방에 들어가자마자 누군가가 문을 확 닫았다. 잠시 후 문고리를 거는 소리가 났다. 그레고르는 방 안에 갇히고 만 것이다.

사실 그레고르는 방에 들어오기 전, 뒤에서 나는 소리에 놀라서 다리를 부러뜨릴 뻔했다. 요란한 소리를 내며 급하게 달려온 사람은 그레테였다. 그레테는 기다리고 있다가, 그레고르가 방에 들어가려고 하자마자 달려왔던 것이다.

그레테는 열쇠를 자물쇠 구멍에 넣어 돌리며

"됐어요."

하고 부모를 향해 외쳤다.

"자, 이젠 어떻게 해야 하지?"

그레고르는 어둠 속에서 주위를 돌아보며 스스로에게 물었다.

하지만 그레고르는 자기가 더 이상 움직일 수 없다는 것을 알았다. 하지만 그것을 별로 이상하게 생각하지도 않았다.

그레고르는 온몸이 아팠지만, 비교적 기분은 좋았다. 머지않아 아프지도 않을 것 같았다. 등에 박힌 썩은 사과도, 부드러운 먼지에 쌓인 몸의 염증도 느껴지지 않았다.

그레고르는 말할 수 없는 갈등과 사랑으로 식구들을 생각했다. 그레고르는 그레테가 생각한 것보다 더 절실하게 자기가 없어져야 한다고 생각했다. 교회 탑 시계가 새벽 세 시를 칠 때까지 그레고르는 고요히 명상에 잠겨 있었다.

창 밖이 환하게 밝아오기 시작했다. 그 때 그레고르의 머리가 자기도 모르게 밑으로 푹 수그러졌다. 그리고 콧구멍에서는 마지막 숨이 힘없이 새어 나왔다.

아침 일찍 할머니가 왔다. 할머니는 이 집에 오면 문을 쾅쾅 닫기 때문에, 식구들은 편안히 잠을 잘 수가 없었다. 문을 조심해서 닫아 달라고 몇 번이나 부탁했지만, 할머니의 버릇은 여전했다.

할머니는 보통 때처럼 그레고르의 방을 들여다보았다. 하지만 그레고르에게서 아무런 이상도 발견하지 못했다. 할머니는 일부러 그레고르가 꼼짝도 않고 엎드려 있다고 생각했다. 아마도 마음이 상해서 그런 태도를 취하고 있다고 생각한 것이다.

할머니는 마침 기다란 빗자루를 갖고 있었다. 할머니는 문 밖에서 빗자루를 내밀어 그레고르를 간지럽히려고 했다. 그러나 그레고르가 아무런 반응을 보이지 않자 화가 바짝 났다. 할머니는 그레고르의 몸을 빗자루로 약간 쑤셨다. 그래도 그레고르가 아무 반항도 하지 않고, 자기 자리에서 꼼짝도 못하고 빗자루에 밀려 나가자 비로소 할머니는 눈이 휘둥그레졌다. 그러고는 자기도 모르게 휘파람을 불었다.

할머니는 황급히 잠자 부부의 침실로 달려가 문을 열어젖히며 이렇게 외쳤다.

"좀 가 봐요. 뻗었어요. 자빠져서는 그만 뻗어 버렸어요."

어머니와 아버지는 기겁을 하고 후닥닥 침대에서 내려왔다. 아버지는 어깨에 담요를 걸치고 어머니는 잠옷을 입은 채, 침실에서 나와 그레고르의 방으로 갔다.

그러자 거실 문이 열렸다. 하숙을 친 다음부터 그레테는 거실에서 잠을 잤다. 그레테는 한잠도 못 잔 사람처럼 창백한 얼굴로, 단정하게 옷을 입고 있었다.

"죽었나요?"

어머니는 이렇게 물으면서 믿을 수 없다는 듯이 할머니를 쳐다보았다.

"죽은 것 같아요."

할머니는 이렇게 말하고 자기 말이 맞다는 것을 증명이라도 하듯, 그레고르의 시체를 옆으로 쭉 밀어 냈다. 어머니는 할머니가 빗자루로 아들을 건드리는 것이 기분 나빴지만 막지는 않았다.

"자아, 이제 우리는 하느님께 감사드려야지."

아버지는 이렇게 말한 다음 가슴에 성호를 그었다. 어머니와 딸도 아버지가 하는 대로 따라서 성호를 그었다. 그 때까지 시체에서 눈을 떼지 않고 있던 그레테가 입을 열었다.

"좀 보세요, 오빠는 어쩌면 저렇게 말랐을까……. 벌써 오래 전부터 음식을 갖다 주어도 입에 대지 않았어요."

그레고르의 몸은 사실 너무 말라서, 뱃가죽이 등에 착 달라붙어 있었다.

"그레테, 이리 올래?"

어머니는 슬픈 미소를 지으며 말했다. 그레테는 시체를 돌아다보며 부모를 따라 침실로 들어갔다. 할머니는 창문을 활짝 열어젖혔다. 아직 이른 아침이었지만 신선한 공기 속에서, 어딘지 훈훈한 공기가 감돌고 있었다. 벌써 3월 말이었다.

하숙생들은 방에서 나와 아침 식사를 하려다가, 모두 어리둥절한 표정을 지었다. 잠자 씨네 식구들은, 자기 집에 하숙하는 사람들이 있다는 것조차 잊어버린 것 같았다.

"아침은 어디 있나요?"

하숙생들 중 두목 격인 남자가 투덜거리며 할머니에게 물었다. 하지만 할머니는 손가락을 입에 대고, 아무 말도 하지 않았다. 그러고는 그레고르의 방에 가 보라는 눈짓을 했다. 세 남자는 그레고르의 방에 들어갔다. 그들은 약간 해진 윗옷 호주머니에 두 손을 처넣고, 그레고르의 시체를 둘러쌌다. 방 안은 이미 환하게 밝았다.

그 때 침실의 문이 열렸다. 아버지는 은행 제복을 입고 나타났다. 아버지는 어머니와 그레테의 부축을 받고 있었다. 이 세 식구의 얼굴은 울어서 눈이 부어 있었다.

그레테는 아버지의 팔에 얼굴을 파묻었다.

"당장 우리 집에서 나가 주시요."

아버지는 하숙생들에게 이렇게 말하고는 아내와 딸을 꼭 붙잡고, 현관문 쪽을 가리켰다.

"무슨 말씀이신가요?"

두목 격인 남자가 약간 놀란 표정을 감추고, 싱긋 미소를 지으며 물었다. 나머지 두 사람은 뒷짐을 지고 계속해서 손을 비볐다. 마치 자기들에게 유리한 일이 벌어지게 될 것을 은근히 기대하고 있는 것 같았다.

"내가 한 말을 못 들었소? 이 집에서 나가 주십시오."

아버지는 이렇게 말한 뒤, 아내와 딸을 거느리고 하숙생들 앞으로 곧장 걸어갔다. 두목 격인 남자는 처음에는 꼼짝도 않고 그 자리에 서 있었다. 머릿속에서 여러 가지 일을 다시 정리하려는 것처럼, 잠시 마루를 내려다보았다.

"그렇다면 나가지요."

그는 이렇게 말하고는 아버지를 쳐다보았다.

그리고 아버지가 하는 말이 과연 맞는 것인지, 후회하지 않을 것인지를 눈빛으로 물었다. 아버지는 두 눈을 부릅뜨고, 몇 번이나 고개를 끄덕였다. 두 남자는 잠시 귀를 기울이다가, 곧 두목 격인 남자를 따라갔다. 마치 잠자 씨가 자기들보다 앞서 현관방에 들어가서, 자기들과 두목 사이를 끊어 놓지 않을까 하고 염려하는 것 같았다. 세 남자는 현관방에서 짐을 꾸린 후에 모자를 손에 쥐고, 무뚝뚝하게 인사를 하고는 집을 나섰다.

아버지는 아내와 딸을 데리고 계단 앞으로 가서, 이 집을 떠나는 세 남자의 뒷모습을 내려다보았다. 세 남자는 천천히 발걸음을 옮겨 긴 계단을 내려갔다. 층계참에 이르자 그들은 사라졌다가, 이삼 초 후에 다시 모습을 나타냈다.

세 남자가 계단으로 내려갈수록, 이들에 대한 잠자 씨 식구들의 관심도 점점 사라져 갔다. 그 때 푸줏간 점원이 머리에 짐을 이고 퉁퉁거리며 계단을 올라왔다. 그 때 비로소 잠자 씨는 정신을 차리고, 가벼운 기분이 되었다.

잠자 씨 식구는 오늘 하루는 쉬면서 산책이라도 하자고 했다. 이들에게는 일을 쉴 만한 충분한 이유가 있었다.

식구들은 나란히 책상 옆에 앉아서 결근계를 썼다. 잠자 씨는 지배인에게, 잠자 씨 부인은 재봉을 부탁한 사람에게, 그레테는 상점 주인에게.

잠자 씨 식구들이 결근계를 쓰고 있을 때, 할머니가 일이 다 끝났으니 집으로 돌아가겠다고 말했다. 하지만 글을 쓰고 있던 식구들은 할머니를 쳐다보지도 않고, 고개만 끄덕였다. 할머니는 자리를 떠나려고 하지 않았다. 그러자 잠자 씨는 화를 내며 얼굴을 들었다.

"왜 그러고 있어요?"

할머니는 문 옆에 서서 미소를 지었다.

마치 할머니는 식구들에게 매우 반가운 소식을 전해 주려고 하는데, 상대방이 묻지 않으면 절대로 말하지 않겠다는 태도였다. 할머니의 모자 위에는 타조의 작은 깃털이 꽂혀 있었는데, 그것이 가볍게 이리저리 흔들리고 있었다. 할머니가 자기 집에서 일하는 동안에도, 잠자 씨는 그

깃이 몹시 비위에 거슬렸다.

"대체 무슨 일인가요?"

어머니가 물었다. 할머니는 이 집에서 어머니를 가장 좋아하고, 존경하고 있었다.

"네……."

할머니는 이렇게 대답을 하고, 정답게 웃느라고 바로 말을 하지 못했다.

"저어, 옆방에 있는 것은 제가 벌써 다 치워 놓았어요. 그러니 시체를 어떻게 치울지 걱정하시지 않아도 돼요."

하지만 어머니와 그레테는 결근계를 쓰기 위해 고개를 수그리고 있었다. 아버지는 할머니가 모든 일을 자세히 말하려고 하는 것을 눈치챘을 때 손을 내밀며 한사코 거절했다.

그러자 할머니는 기분이 상한 듯이

"여러분, 안녕히 계세요."

하고 외치고는, 홱 돌아서더니 요란스럽게 문을 닫고 나가 버렸다.

"저녁에 돌아오면 할멈을 내보내."

아버지가 이렇게 말했으나, 어머니와 딸은 아무 대답도 하지 않았다. 애써서 얻은 마음의 안식이 할머니 때문에 다시 수포로 돌아간 것 같았기 때문이었다. 어머니와 딸은 자리에서 일어나 창문 옆으로 가서, 서로 부둥켜안았다. 아버지는 의자에 앉아 잠시 동안 그들을 쳐다보았다. 아버지는 이렇게 말했다.

"자, 그만 이리 와. 지난 일을 생각해서 뭘 해? 이제는 나도 좀 생각해 달란 말이야!"

그러자 두 사람은 아버지에게로 달려가서 아버지를 위로했다. 그리고 다시 돌아와 서둘러 결근계 쓰는 것을 마무리 지었다.

결근계를 쓰고 나서 세 사람은 함께 집을 나섰다. 그들이 이렇게 함께 외출한 적은 최근 몇 달 동안 없었다.

잠자 씨 식구는 전차를 타고 교외로 나갔다. 전차 안은 잠자 씨 가족뿐이었다. 따뜻한 햇볕이 차창으로 흘러 들어왔다. 그들은 편안하게 몸을 의자에 기대고, 장래 일에 대해 이야기를 주고받았다.

생각해 보면 그들의 앞날은 전혀 어둡지만은 않았다. 전혀 희망이 없는 것이 아니었다. 왜냐하면 이제까지 서로 물어 볼 기회조차 없었지만, 막상 서로 이야기해 보니 세 사람의 직업은 괜찮았다. 우선, 집을 개선하는 가장 큰 문제는 해결될 것 같았다. 이사를 가면 되는 것이다. 그들은 그레고르가 골랐던 지금의 집보다 작고, 집세가 싸지만 그래도 위치가 좋은 집을 얻자고 했다.

이런 이야기를 하면서 잠자 씨 부부는, 점점 활기를 띠는 그레테의 모습을 보았다. 그레테는 얼마 전까지 갖은 고생을 하느라 얼굴빛이 창백했었다. 이제 그레테에게서는 토실토실 예쁘게 피어난 처녀의 자태가 났다.

잠자 씨 부부는 아무런 말도 하지 않고 그냥 눈과 눈으로 마음을 주고받았다. 그들은 서로 말은 안 했지만 이제는 슬슬 딸을 위해, 훌륭한 신랑감을 찾아 주어야 할 때가 왔다고 생각했다.

드디어 전차가 목적지에 닿았을 때, 그레테가 제일 먼저 일어나 젊고 탄력 있는 육체를 쭉 폈다. 잠자 부부의 눈에는 딸의 모습이 새로운 꿈과 아름다운 계획을 다짐해 주는 것 같았다.

심 판

체 포

누군가가 요제프 케이를 모함한 게 틀림없다. 케이는 분명 잘못한 게 없는데, 어느 날 아침 체포되었다. 집주인인 그루바흐 부인네 식모는, 날마다 오전 여덟 시에 아침을 가져왔다. 하지만 그 날 아침은 얼굴을 볼 수가 없었다. 여지껏 그런 일은 없었다.

케이는 맞은편 집에 사는 할머니가 호기심 어린 눈으로, 자기를 유심히 바라보는 것을 보았다.

기분이 어쩐지 이상했다. 케이는 배가 고파서 아침을 갖다 달라고 벨을 눌렀다.

잠시 후 누군가가 케이의 방을 노크하고는 문을 열었다. 한 번도 본 적이 없는 남자였다.

"누구시지요?"

케이는 이렇게 묻고 침대에서 반쯤 몸을 일으켰다.

"안나가 아침을 가져올 텐데."

케이는 이렇게 말하고는 대체 이 남자가 누구인지를 생각했다. 그 남자는 케이의 시선을 피하며, 문 쪽으로 돌아서서 이렇게 말했다.

"안나한테 아침을 청한 모양인데……."

옆방에서 사람들이 웃는 소리가 들렸다. 하지만 몇 사람인지 알 수 없었다.

"안 되겠어."

"이게 대체 무슨 일인지……."

케이는 이렇게 말하고 침대에서 내려와 허둥대며 바지를 입었다.

"옆방에 누가 있는지, 그루바흐 부인은 왜 나를 이런 식으로 괴롭히는지 알아봐야겠군."

케이가 이렇게 말하자 남자가 말했다.

"여기 있는 게 낫지 않을까?"

"신분을 밝히지 않는 한 당신과 이야기하고 싶지 않소."

케이는 옆방으로 들어갔다. 옆방은 그루바흐 부인의 방이었다. 방 안은 보통 때와 다르지 않았는데, 열린 창문 옆에서 어떤 남자가 책을 읽고 있었다.

"케이 씨, 왜 나왔소? 프란츠가 그냥 방에 있으라고 하지 않던가?"

케이는 문간에 서 있는 프란츠라는 남자를 쳐다보고는, 창가로 시선을 돌렸다. 열린 창문으로 아까 그 노파가 케이를 보고 있었다.

"그루바흐 부인을 좀……."

"안 돼."

책을 읽고 있던 남자가 자리에서 일어났다.

"안 돼! 자네는 체포됐어."

"대체 무엇 때문에 내가 체포된 거지요?"

"방으로 들어가 기다려. 벌써 재판 수속은 다 되었으니, 시간이 되면 다 알게 될 거야. 이 정도로 자네를 봐 주는 것도 우리가 친절하기 때문이라고. 우리가 자네 감시자가 된 건 자네한테 운 좋은 일이야."

방 안에는 책을 읽던 남자와 프란츠 말고도 다른 남자가 한 명 더 있었다. 그는 케이보다 키가 컸다. 프란츠와 다른 남자는 케이의 잠옷을

살펴보더니 앞으로는 좋지 않은 옷을 입게 될 테니, 잠옷은 다른 옷과 같이 보관해 두었다가 사건이 잘 해결되면 다시 돌려주겠다고 말했다.

"그런데 그런 물건을 창고에 넣어 두는 것보다는, 우리한테 맡기는 게 좋을 거야. 물론 창고에서 몇 푼 주겠지만, 그보다는 우리한테 뇌물로 주는 게 낫지. 안 그래?"

케이는 이런 이야기에 조금도 귀를 기울이지 않았다. 그저 자기가 처해 있는 상황을 좀더 분명하게 알고 싶었다.

'대체 이 사람들은 누굴까? 어느 기관 소속일까? 법이 있는 나라에 살고 있는 내가, 어째서 이런 일을 당해야 하는 거지?'

케이로서는 지금과 같은 상황을 이해하기 힘들었다. 어쩌면 장난일지도 모른다고 생각했다. 충분히 그럴 수 있었다. 자기를 놀리려고 누군가가 좀 심한 장난을 치는지도 모를 일이다. 그 날은 케이의 서른 번째 생일이었다. 어쩌면 같이 일하는 은행 친구들이 꾸민 일인지도 모른다.

"실례합니다."

케이는 이렇게 말하고, 자기 방으로 들어갔다. 케이는 방에 들어가서 책상 서랍을 열었다. 서랍은 잘 정돈되어 있었지만 신분증은 보이지 않았다. 하는 수 없이 운전 면허증을 찾다가, 출생증명서를 발견했다. 케이가 다시 옆방으로 들어가려고 할 때, 그루바흐 부인이 막 들어오려고 했다. 부인은 케이를 보자마자 망설이면서,

"미안합니다."

라고 말하더니, 다시 문을 닫았다. 옆방에 와 보니 남자들은 케이의 아침을 다 먹어치웠다.

"왜 그루바흐 부인은 안 들어오지요?"

하고 케이가 물었다. 그러자 키가 큰 감시인이 말했다.

"자네가 체포되었으니까."

"왜 내가 체포되었죠?"
"그 질문에는 대답할 수 없어."
"그래도 나는 대답을 들어야겠어요. 자, 이것이 내 신분증명서입니다. 이제는 당신들 것을 보여 주시오. 먼저 체포장부터 보여 주시오."
키가 큰 감시인이 말했다.
"쓸데없는 수작 말아. 우리들을 놀릴 생각하지 마!"
프란츠가 이어서 말했다.
"우리가 누구인지 자네가 잘 생각해 봐!"
케이는 서류를 탁 치며 말했다.
"이것이 제 신분증명서입니다."
키가 큰 감시인이 말했다.
"그까짓 게 뭔데! 당신은 지금 체포장이니 뭐니 하면서 소송 문제를 어물어물 넘길 생각인가 본데, 어림없는 소리! 우린 그저 말단에서 심부름이나 하는 사람이야. 날마다 자네를 열 시간씩 감시하고, 보수를 받는 것 외에는 당신과 아무 관계도 없어. 이게 우리 신분에 관한 전부야. 법률은 죄를 지은 사람에게 감시인을 보내도록 되어 있어. 뭐, 잘못된 거라도 있어?"
케이가 답했다.
"그런 법률을 나는 모르오. 그것은 그저 당신들한테나 통하는 법이오."
"여봐, 빌렘. 저 자식은 법률을 모른다고 하면서, 자기는 죄가 없다고 말하는 것 같군."
프란츠가 이렇게 말하자 다른 남자가 말했다.
"그러게 말이야. 저 자식은 통 말을 알아듣지 못하는 것 같군."
케이는 아무 대답도 하지 않고 그저 방 안을 두서너 번 왔다갔다했을 뿐이다. 맞은편에 사는 노파는 자기보다 더 늙은 사람을 데리고 와서, 케이를 바라보았다. 케이는 이렇게 남 앞에서 노리갯감이 되는 게 싫었다.

"당신들 상관한테 날 데려다 줘요."

"무슨 명을 받기 전까지는 안 돼."

빌렘이라는 남자가 말했다.

"방으로 들어가 얌전히 앉아 있어. 쓸데없는 생각은 하지 말고. 얼마 후에 상부에서 지시가 있을 거야. 우리는 자네한테 잘해 주려고 했는데, 자네는 우리한테 그렇지 않군. 우리는 보잘것없는 말단 관리지만 적어도 자네한테만은 아닐세. 이건 결코 우월감에서 하는 말이 아니야. 자네한테 돈이 있다면, 저 카페에서 아침 식사쯤은 갖다 줄 수도 있을 텐데 말이야."

케이는 아무런 대답도 하지 않고, 자기 방으로 들어갔다. 케이도, 감시인들도 아무 말도 하지 않았다. 케이는 침대 위에 몸을 던지고 사과 하나를 들었다. 아침에 먹으려고 전날 저녁에 남겨 두었던 것이다. 이 사과가 케이의 아침 식사였다. 사과를 한입 베어 먹자, 기분이 좋아지면서 뭔가 기대를 가져도 좋을 것 같았다. 어쩌면 케이의 직장인 은행에 출근할 수도 있을 것 같았다. 만일 오늘 있었던 일을 은행 사람들이 믿어 주지 않으면, 그루바흐 부인이나 맞은편에서 케이를 지켜보던 노파를 증인으로 세우면 된다. 그런데 그 노인은 아직도 케이를 쳐다보고 있었다.

케이는 자살할 수도 있는 방에 자기를 혼자 남겨 둔 것을 이상하게 생각했다. 그러면서 자기가 자살할 이유가 있는지를 스스로에게 물었다. 이런 일로 자살한다는 것은 어리석은 일이었다. 케이는 방에 앉아 브랜디를 마셨다. 한 잔을 마시고 두 잔째 마셨다. 그 때 옆방에서 자기를 부르는 소리가 났다.

"감독이 부른다."

이 소리는 군대식 명령 같았다. 케이는 옆방으로 갔다.

"뭐야?"

하고 감시인이 말했다.

"그런 옷차림으로 감독 앞에 갈 생각이야?"

"에이, 빌어먹을!"

"검은색 옷을 입어야 해."

"아직 공판은 아닙니다."

라고 케이는 말했다. 그러자 감시인들은 조롱하듯이 웃으며, 자기들의 주장을 굽히지 않았다.

"검정색 웃옷이 아니면 안 돼."

"좋아요. 그렇게 해서 일이 끝난다면 입어 드리지!"

케이는 옷장에서 이 옷 저 옷을 들추다가 가장 좋은 옷을 골랐다. 그리고 셔츠를 꺼내 단정히 갈아입기 시작했다. 전부 다 갈아입고 나서 그는 감독이 있는 방으로 들어갔다. 문은 양쪽 다 열려 있었다. 얼마 전부터 이 방에는 타이피스트인 뷔르스트너 양이 살고 있었다. 그 여자는 아침 일찍 직장에 나가 밤늦게 돌아오기 때문에, 케이와는 인사만 나누는 사이였다. 감독이 책상을 한가운데로 끌어 놓고 앉아 있었다. 방 한 구석에는 청년 셋이 벽에 걸린 뷔르스트너 양의 사진을 바라보았다. 열린 창문 손잡이에는 하얀 블라우스가 걸려 있었다. 두 명의 늙은이는 아직도 케이를 바라보고 있었다. 그런데 이번에는 사람들이 더 많아졌다.

"요제프 케이지?"

감독이 물었다. 케이는 고개를 끄덕였다.

"매우 놀랐지?"

"정말 놀랐습니다."

케이는 이제 겨우 말이 통하는 사람과 마주 앉아서, 자기 일에 대해 이야기할 수 있다는 생각에 안도했다.

"하지만 그리 대단한 것은 아니었습니다."

"그리 대단하지 않다고?"

이 말에 케이는 당황하며 자기 말을 변명하려고 했다.

"물론 놀랐습니다. 저처럼 고생을 많이 한 사람은 서른 살쯤 되면, 웬만한 일에도 태연할 수 있습니다. 특히 오늘 같은 사건은 말입니다."

"왜 오늘 일이 더욱 그럴까?"

"오늘 일은 농담치고는 너무 빈틈이 없었으니까요."

"그렇고말고."

"하지만 이 사건은 그리 대수로운 것이 아닙니다. 제가 고발을 당했지만, 난 고발당할 만한 일을 하지 않았습니다. 문제는 누가 고발했는가 하는 것입니다. 여러분은 관리인가요? 정복을 입지는 않았는데……. 아무리 보아도 그 차림은 여행복 같군요. 이런 의문에 대해 명쾌한 답변을 바랍니다."

"자네는 틀렸어. 여기 있는 사람들이나 나는, 자네 사건에 대해 제삼자에 불과해. 사실, 이 일에 대해서는 아무것도 몰라. 우린 정복을 입을 수도 있어. 그런다고 해서 자네 사건이 불리해질 건 없어. 자네가 체포된 것은 사실이야. 자네한테 충고하고 싶네. 자기가 결백하다고 생각해도 이렇게 함부로 이야기하면 안 돼. 그리고 무엇보다 말을 삼가야 해. 그런 말은 자네한테 이롭지 않아."

케이는 감독을 빤히 바라보았다. 아무리 보아도 자기보다 어려 보이는 사람한테, 이런 설교식의 말을 듣는 것이 몹시 언짢았다.

'뭐야, 체포 이유도 말해 주지 않고.'

케이는 흥분해서 이리저리 걸어다녔지만, 아무도 그를 가로막지 않았다. 케이는 드디어 감독이 앉아 있는 책상 앞에서 발걸음을 멈췄다.

"하스테러 검사가 제 친구인데, 전화를 걸어도 될까요?"

"좋아."

하고 감독이 말했다.

"하지만 전화를 거는 데 다른 목적이 있는 건 아니겠지? 그저 개인적인 전화겠지?"

"다른 목적이라고요?"

케이는 당황해하며 말했다.

"대체, 당신은 누구요? 난 분명히 체포된 것 같군. 검사한테 왜 전화를 거냐, 이거죠? 좋습니다. 전화는 걸지 않겠습니다."

"그러지말고, 어서 전화를 걸어."

"아니오. 걸고 싶지 않아요."

하고 말하고 케이는 창문 옆으로 갔다. 맞은편에는 늙은 노파와 사람들이 아직도 있었다. 케이는 그 모습을 보고,

"거기서 비켜!"

하고 외쳤다. 그러나 사람들은 그 자리에서 물러서지 않았다. 화가 난 케이는 이어서 말했다.

"염치없고 뻔뻔한 자식들."

그러고는 감독과 감시인들을 향해 말했다.

"저는 이제 서로 악수나 하고, 일을 원만하게 해결하는 것이 좋겠다고 생각합니다. 당신들의 의견이 저와 같으시다면……."

케이는 이렇게 말하고, 감독에게 가서 손을 내밀었다. 감독은 케이가 내민 손을 바라보더니 자리에서 일어나서,

"당신은 모든 일을 간단하게 생각하는군. 일을 원만하게 해결하자고? 이 봐, 당신은 체포되었어. 이제 당신은 체포된 사실을 받아들인 거지. 그러니 오늘은 이만하자는 건가? 그래, 이만 헤어지기로 하세. 물론 잠시 동안이지만. 자네, 지금 은행으로 가고 싶은가?"

"은행이요?"

하고 케이가 말했다.

"체포되었는데 어떻게 은행에 출근을 하죠?"

"아, 그것 말인가? 체포되었다고 해서 은행에 출근을 못 한다고 생각하지 마. 물론 자네는 체포되었지만, 그렇다고 해서 자네 일까지 방해하지는 않아. 전과 같이 살아도 아무 상관이 없어."

"그렇다면 체포되어도 그다지 나쁘지는 않군요."

"자, 이제 은행으로 가게. 자네 친구 세 사람을 여기 데리고 왔네."

"뭐라고요?"

케이는 어이가 없다는 듯이 그 세 사람을 바라보았다. 사실은 그저 동료 은행원일 뿐이지, 친구라고 할 정도의 사이는 아니었다. 그런데 케이는 왜 그 때까지 그들이 여기 있다는 사실을 몰랐을까? 아마도 감독과 감시인한테 정신이 팔려 있었기 때문이었던 것 같다.

이상한 태도를 하고 양손을 떠는 라벤슈타이너, 눈이 우묵하게 들어간 금발의 쿨리히, 언제나 징그럽게 웃는 카미너가 케이를 쳐다보고 서 있었다.

"안녕하시오?"

케이는 이렇게 말하고, 그들에게 손을 내밀었다.

"나는 자네들이 온 줄 정말 몰랐어. 그러면 어서 직장으로 가지."

네 사람은 함께 나갔다.

응접실에서 그루바흐 부인이 현관문을 열어 주었다. 밖에 나오자 케이는 시계를 보았다. 출근 시간이 30분이나 늦었다. 그들은 더 늦지 않기 위해 택시를 타고 은행으로 달렸다. 그 때 케이는, 감독이나 감시인들이 돌아가는 것을 보지 못했다는 것을 깨달았다. 조금 전까지는 감독한테 정신이 팔려 동료 은행원이 온 것을 알아채지 못했는데, 이번에는 동료 은행원들한테 정신이 팔려 감독을 생각하지 못했다. 케이는 좀더 주의하기로 했다. 세 은행원은 피곤했는지 라벤슈타이너는 오른쪽에서, 쿨리히는 왼쪽에서 창가를 내다보았다. 다만, 카미너만이 예전처럼 생글거렸다.

그 해 봄 케이는 아홉 시부터 사무실에서 일을 하고, 일이 끝나면 혼자서, 또는 은행원들과 같이 잠깐 산책을 했다. 산책을 하고 난 후 케이는 술집에 가서 늙은 신사들이 모인 자리에 끼어 열한 시까지 놀다 오기 일쑤였다. 지점장은 케이를 신뢰하고 그의 능력을 높이 평가하는 편이었다. 그래서 케이를 데리고 드라이브를 하거나, 저녁식사에 초대하는 일도 있었다. 또 케이는 일주일에 한 번씩 엘자라는 처녀를 찾아갔다.

그 날 케이는 보통 때처럼 일하고, 생일 축하 인사를 받았다. 그리고 곧장 집으로 돌아가려고 했다. 아침에 일어난 사건으로 그루바흐 부인의 집에 혼란을 일으켰기 때문에, 다시 질서를 회복해야 한다고 생각했다. 그리고 자기를 감시하는 세 명의 은행원에 대해 겁내지 말자고 스스로 다짐했다. 사실 그들은 은행의 많은 직원들 틈에서, 아무렇지도 않게 일을 했다.

밤 아홉 시 반에 케이는 집으로 돌아왔다. 케이는 그루바흐 부인과 이야기하려고 방문을 두드렸다. 부인은 책상 옆에서 양말을 꿰매고 있었다. 케이는 방 안을 둘러보았다. 전날과 조금도 변함이 없었다.

"부인, 왜 이렇게 늦은 시간까지 일하시지요?"

"일이 끝이 있어야지요. 낮에는 손님들 때문에 바쁘니, 내 일을 하려면 밤밖에 시간이 없어요."
"부인, 오늘은 너무 수고가 많으셨습니다."
"왜요?"
"오늘 아침 여기 왔던 사람들 말입니다."
"네, 그 일이요? 뭐, 대단한 일도 아니었는데요."
케이는 아무 말 없이 양말을 꿰매는 부인을 바라보았다.
"아뇨, 정말 수고하셨습니다. 앞으로 다시는 그런 일이 없을 겁니다."
"그럼요. 또 그런 일이 있겠어요?"
부인은 케이를 보고 쓸쓸히 웃었다.
"정말 그렇게 생각하시나요?"
"그럼요. 그 일을 너무 어렵게 생각하지 마세요. 당신이 체포되었다고 해도, 도둑질을 해서 체포되는 것과는 다르잖아요. 내가 생각하기엔 당신은 학문 같은 것 때문에 체포된 게 아닐까요? 제가 분수에 넘는 말을 했다면 용서하세요."
"무슨 그런 말씀을. 저는 이 문제를 학문 때문이라고 생각하지 않아요. 하여튼 저는 습격을 당한 것 같아요."
케이는 부인에게 물었다.
"뷔르스트너 양은 왔나요?"
"아뇨. 그 아가씨는 극장에 갔어요. 무슨 일이 있으신가요? 제가 전해 드릴까요?"
"아니에요. 그저, 직접 이야기를 할까 해서요."
"네. 그런데 언제 돌아올지 몰라요. 극장에 가면 늦게 온답니다."
"오늘 그 아가씨 방을 써서, 사과하려고 그럽니다."
"그럴 필요가 있겠어요? 그 아가씨는 아무것도 몰라요. 아침 일찍 집을 나간 다음, 제가 말끔히 다 치워 놓았어요."

부인은 뷔르스트너의 방문을 열어 케이에게 보여 주었다.

"그 아가씨는 늘 늦게 오나 봐요."

"젊은 사람이니까요."

"하지만 너무 지나치지요."

"맞습니다. 그 아가씨 흉을 보려는 건 아닙니다. 얌전하고 귀여운 여자니까요. 친절하고 시간도 잘 지키고 일도 잘 하죠. 하지만 좀 자존심을 가졌으면 좋을 것 같아요. 이번 주에 두 번이나 낯선 남자와 같이 돌아다니는 것을 봤어요. 선생님이니까 말하지만, 저는 불쾌했어요. 의심을 살 만한 일은 그것뿐이 아니랍니다. 그런 장면을 한 번만 더 보면 우리 집에서 내쫓을 생각입니다."

"그럴 리가요? 부인이 뭔가 오해하는 것 같습니다. 저도 그 여자를 조금 아는데, 그런 일을 할 사람은 아닙니다. 그럼 주무세요."

케이는 자기 방에 들어왔다. 하지만 자고 싶은 생각이 조금도 들지 않았다. 케이는 뷔르스트너 양이 돌아오기를 기다리며 인적이 없는 거리를 바라보았다. 시간이 흐르고 그 일도 싫증이 나자, 응접실 문을 조금 열고 소파 위에 앉았다. 그는 열한 시까지 담배를 피우며 누워 있었다. 뷔르스트너 양의 늦은 귀가가 케이를 초조하게 했다. 열한 시 반이 지났을 때, 누군가의 발소리가 났다. 뷔르스트너 양이었다.

"뷔르스트너 양!"

"누구세요?"

집 안이 캄캄해서 뷔르스트너 양에게는, 케이가 잘 보이지 않았던 것이다.

"접니다."

"아, 케이 선생님!"

"말씀드릴 게 있습니다. 지금 괜찮을까요?"
"지금요? 너무 늦지 않았나요?"
"아홉 시부터 기다렸습니다."
"그러시다면 잠깐 들어오세요."
방에 들어가자 뷔르스트너 양이 말했다.
"무슨 일이지요? 어서 말씀해 보세요."
"제 책임입니다. 당신 방이 오늘 저 때문에 흐트러졌습니다. 제가 아니라, 저도 모르는 사람들이 그랬습니다. 그래서 사과하려고요."
"제 방이요?"
뷔르스트너 양은 자기 방을 둘러보았다.
"별로 흐트러진 게 없는데요. 마음 쓰지 마세요."
뷔르스트너 양은 이렇게 말한 뒤 손바닥을 허리에 대고는, 방 안을 한 바퀴 돌았다. 그러고는 사진을 보더니 발걸음을 멈췄다.
"이런! 정말 제 사진이 엉망이 되었군요. 당신은 정말 실례를 범했군요. 왜 남의 방에 들어왔지요? 그래서는 안 된다는 것을 아실 만한 분이."
"당신 사진에 손을 댄 건 제가 아닙니다. 어떤 심리 위원들이 은행원을 세 명이나 데리고 왔어요. 그 사람들이 만졌습니다."
"당신 때문에 그 사람들이 왔다고요?"
"네."
"설마?"
"그러면 당신은 내가 죄가 없다고 생각하시는 건가요?"
"글쎄요. 그건 제가 간단히 말할 수 없지요. 하지만 심리 위원이 왔다는 건 무거운 죄를 지은 게 틀림없지요. 그런데 당신은 이렇게 자유롭고……. 저는 재판에 대해 관심이 많아요. 재판은 특별한 재미가 있

지요. 전 다음 달에 어떤 변호사 사무실에 들어간답니다. 아마, 저는 그 방면에서 성공할 거예요."

"그것 참 잘 됐군요. 그렇게 되면 저의 재판 때 도움이 되겠군요."

"물론이지요."

"변호사를 쓰기에는 너무 사소한 문제지만, 될 수 있는 대로 저는 당신의 충고를 잘 들어야겠군요."

"그런데 충고를 하려면, 제가 그 사건을 좀더 알아야 하지 않겠어요?"

"바로 그게 문제입니다. 제 자신도 왜 체포되었는지 모르겠다는 겁니다."

"지금 저를 놀리시나요? 그런 일이 어디 있어요? 본인도 모르는 재판이라니."

"농담이 아닙니다. 제가 알고 있는 것은 이미 다 말씀드렸습니다. 저는 체포되었습니다."

뷔르스트너 양은 그 말에 웃어 버렸다.

"대체 어떻게 체포되었지요?"

그러더니 그녀는 잠시 생각한 후에 이렇게 말했다.

"뭐 대수롭지 않은 일이겠지요. 자, 저는 너무 피곤하답니다."

"너무 늦게 돌아오니까 그렇지요. 오늘 이 방에서 사람들이 있었던 곳을 말해 줄게요."

케이는 아침에 감독이 앉았던 책상을 한가운데 놓고 의자에 앉았다.

"제가 감독이라고 합시다. 저쪽 트렁크 위에 두 명의 감시원이 앉아 있었고, 사진 옆에 세 명의 은행원이 서 있었습니다. 그리고 창문 손잡이에는 하얀 블라우스가 걸려 있었습니다. 그리고 신문이 시작되었습니다. 저는 이 책상 앞에 서 있었습니다. 감독은 나를 보고, 정신을 차리라는 식으로 고함을 질렀습니다."

웃으면서 케이의 말을 듣고 있던 뷔르스트너 양은, 케이가 진짜로 고함을 지를까 봐 둘째손가락을 입에 댔지만 이미 늦었다.

"요제프 케이!"

그 때 두서너 번 옆방 문을 두드리는 소리가 났다. 뷔르스트너 양은 얼굴이 파랗게 질려서 가슴에 손을 갖다 댔다.

"염려하지 마세요. 이 옆방은 살림방이니까 아무도 자지 않습니다."

"어제부터 그 방에는 그루바흐 부인의 조카가 자고 있어요. 그 사람은 대위예요. 그건 그렇고, 당신은 왜 그렇게 소리를 지르나요? 나가 주세요. 그 사람이 지금 우리 이야기를 엿듣고 있어요."

"걱정하지 마세요."

케이는 이렇게 말하고 뷔르스트너 양에게 키스를 했다.

"싫어요, 이러지 말아요. 나가세요. 어쩌자고 이런 짓을, 그 대위가 지금 문 뒤에서 엿듣고 있다고요!"

"저는 나가지 않겠어요. 걱정할 건 없어요. 대위가 그루바흐 부인의 조카라서 걱정하는 모양이군요? 그 여자는 내 말을 잘 믿어요. 제게 신세를 많이 지고 있거든요. 그 여자는 내게 상당히 많은 돈을 꾸어 갔어요. 내가 당신한테 달려들었다고 소문을 내도, 그루바흐 부인은 변함없이 나를 신뢰할 겁니다."

"미안해요. 노크하는 소리가 들렸어요. 이제 가 보세요. 전 지금 혼자 있고 싶어요. 벌써 삼십 분이나 지났다고요."

케이는 뷔르스트너 양의 손을 붙잡았으나 그녀는 그의 손을 뿌리쳤다. 그러나 케이의 손힘이 너무 세서 그만 포기했다. 뷔르스트너 양은 케이의 손을 잡고 응접실로 살금살금 가더니 나직한 목소리로 말했다.

"여길 좀 봐요. 자, 보세요."

뷔르스트너 양은 대위가 묵고 있는 방을 가리켰다.

"저 사람은 우리를 보고 있다고요."

"그래, 어디?"

케이는 이렇게 말하고 응접실로 들어가서 뷔르스트너 양의 얼굴에다 키스를 퍼부었다. 그러다가 대위 방에서 인기척이 나자, 얼른 얼굴을 들었다. 그제야 케이는 뷔르스트너 양을 진심으로 걱정했다.

첫 신문

케이는 다음 일요일에 신문이 있다는 전화를 받았다. 신문 날짜가 일요일인 것은, 케이의 직장 일을 방해하지 않기 위해서라고 했다. 하지만 케이가 다른 날짜를 원한다면 바꿔 주겠다고 했다. 케이는 신문 장소의 주소를 들었으나 케이가 한 번도 가 본 적이 없는 곳이었다. 이 전화 통지를 받고 케이는 아무 대답도 없이 수화기를 내려놓았다. 신문이 시작되었으니, 자기 나름대로 대비를 해야 할 것 같았다. 그리고 첫신문으로 끝내 버리고 싶었다. 생각에 잠긴 케이는 전화기 옆에 그대로 서 있었다. 그 때 지점장 대리의 목소리가 들렸다.

"무슨 일이라도 있소?"

지점장 대리는 수화기를 들고 전화 통화를 하려고 했다.

"업무 주임, 일요일 아침에 요트를 타고 뱃놀이 하러 같이 가겠나? 자네가 잘 아는 하스테러 검사도 온다네."

케이는 지점장 대리가 하는 말에 주의를 기울이려고 했다. 평소 사이가 좋지 못했던 지점장 대리가 자기를 초대한 것은, 케이가 은행에서 중요한 자리에 있고, 점점 중요한 사람이 되어 가고 있다는 증거였다.

"감사합니다. 하지만 일요일에는 시간이 없습니다."

"그래? 그거 안 됐군."

일요일은 흐렸다. 케이는 전날 밤 늦게까지 자주 가는 술집에서 사람들과 어울려 노느라고, 하마터면 신문 장소에 가지 못할 뻔했다. 그는 신문을 받기 위한 마음의 준비도 없이, 옷을 갈아입고 신문 장소로 달려갔다. 케이는 될 수 있는 대로 아홉 시 전에 도착하려고 애썼다.

재판소가 있는 동네는 가난한 사람들이 모여 사는지, 회색빛이 도는 셋집만이 늘어서 있었다. 일요일이라 많은 사람들이 창가로 나와, 바깥 풍경을 바라보고 있었다. 케이는 천천히 골목길을 걸어 들어갔다. 아홉 시가 조금 넘었다.

출입구는 높고 널찍했으며, 집집마다 간판이 붙어 있었다. 케이는 은행 일을 하기 때문에, 그 간판 중에서 몇몇 가게 이름을 알고 있었다.

신문실로 가려고 계단을 올라가려다가, 케이는 발걸음을 멈췄다. 도대체 어느 곳으로 가야 하는지 종잡을 수가 없었다. 방 위치를 정확하게 알려 주지 않은 것을 따져야겠다고 생각하며 결국 계단을 따라 올라갔다. 계단에서는 수많은 아이들이 놀고 있었다. 어쩔 수 없이 케이는 아이들이 노는 것을 방해하게 되었다.

'다음에 이 곳에 올 땐 미리 과자를 사 갖고 와야겠군.'

케이는 계단 위로 올라가서 방을 찾기 시작했다. 심리 위원회가 어디냐고 물을 수도 없었다. 문득 가구를 만드는 란츠라는 이름이 떠올랐다. 그 이유는 자신의 옆방에 사는 대위 이름과 같았기 때문이다. 케이는 집집마다 문을 열고, 란츠라는 사람이 살고 있지 않느냐고 물어 보기로 했다. 다행히 집마다 문이 열려 있어 그 안을 들여다볼 수 있었다. 사람들은 란츠라는 사람을 아느냐고 옆집 사람에게 물어 보기도 하고, 멀리 떨어진 곳까지 데려다 주기도 했다. 케이는 란츠를 찾는 것을 그만두려고 하다가 지금껏 고생한 것이 아까워서, 6층을 돌아보기로 했다. 첫 번째 방을 노크했다.

"여기 가구를 만드는 란츠라는 사람이 사나요?"

그러자 어떤 젊은 여자가 빨래를 하고 있다가 까만 눈을 반짝이며,

"어서 오세요."

하고 말하고 옆방을 가리켰다. 케이는 그 방으로 들어갔다. 방 안에는 수많은 사람들이 있어 마치 어떤 집회에 참석한 것 같았다. 그 방에는 마루가 있었는데 마루까지도 사람들로 꽉 차 있었다. 케이는 방에서 다시 나와 그 여자에게 말했다.

"가구를 만드는 란츠라는 사람을 찾는데요."

"그러게요. 어서 들어가 보세요."

케이가 다시 그 방에 들어갔을 때, 어떤 남자가 케이의 손을 꽉 잡았

다. 그 남자는 케이를 보고,

"이리 와요, 어서."

하고 말했다. 케이는 그 남자가 이끄는 대로 따라갔다. 그러자 사람들은 두 패로 갈라졌다. 이들은 낡은 검정색 예복을 입고 있었다. 이런 복장을 한 사람들을 보자 케이는 당황했다. 정치적인 모임 같아 보였기 때문이다. 케이가 이끌려 간 집회실 한쪽 끝에도 사람들이 많았다. 거기에는 연단이 있었다. 연단 위에 책상 하나가 있었고, 그 연단 한쪽에 키가 작고 뚱뚱한 남자가 앉아 있었다. 케이를 데리고 간 남자는 키가 작고 뚱뚱한 남자에게 무언가를 보고했다. 그러자 그는 시계를 꺼내며, 케이를 힐끗 쳐다보았다.

"한 시간 오 분이나 늦었군."

케이는 뭐라고 대답하려고 했지만 그럴 여유가 없었다. 방 안은 조용해졌다. 하지만 마루에 있는 사람들은 여전히 제멋대로 떠들고 있었다. 어둡고 컴컴하고 먼지가 많이 나서 분간을 할 수 없었지만, 사람들의 차림새는 허술했다.

케이는 무슨 말을 하기보다는 좀더 유심히 그들을 살펴보려고 했다. 그래서 케이는 이렇게 말했다.

"제가 늦게 왔는지 모르겠지만, 하여튼 이렇게 이 자리에 와 있습니다."

그러자 오른편에 있던 사람들이 갑자기 박수를 쳤다. 그리고 누군가가 말했다.

"오늘은 봐 주겠다. 두 번 다시 이렇게 늦으면 곤란해. 자, 이리 나와."

케이는 단 위로 올라갔다. 그러고는 예심 판사로 보이는 사람이 앉아 있는 책상 옆에 바짝 다가섰다. 예심 판사는 조서 같아 보이는 공책을 한번 들여다보고는 이렇게 말했다.

"자네는 실내 화가지?"

"아닙니다. 나는 은행의 업무 주임입니다."

이렇게 대답하자 오른편에 있던 사람들이 웃었다. 사람들의 웃음소리에 예심 판사는 기분이 상했다.

"예심 판사님, 제가 실내 화가가 아니냐고 물으신 것으로 볼 때, 저에 관한 재판이 잘못되어 있다는 것을 알 수 있습니다. 저는 저에게 가해진 재판이 부당하다고 생각합니다."

케이는 여기까지 말을 하고 방 안을 내려다보았다. 그의 말은 옳은 말이었다. 그렇다면 사람들이 박수를 칠 만했다. 하지만 사람들은 조용히 있었다. 케이의 이야기를 듣고 예심 판사는 당황하는 것 같았다. 판사는 온몸이 굳은 것처럼 가만히 있다가 천천히 조서에 손을 얹었다.

케이는 말을 계속했다.

"아무리 그래도 소용 없습니다. 예심 판사님, 당신의 그 조서는 제 말이 맞다는 것을 오히려 증명해 줄 것입니다."

케이는 예심 판사가 들고 있던 조서를 느닷없이 빼앗았다.

"이것이 조서입니까?"

그러고는 조서를 책상 위에 떨어뜨렸다.

"좋습니다. 어서 천천히 읽어 주십시오."

예심 판사는 조서를 들고 다시 읽으려고 했다. 맨 앞줄에 있던 사람들이 매우 긴장된 눈빛으로 케이를 보았다. 모두가 케이보다 나이가 많아 보였다. 그들 중에는 수염이 희끗희끗한 사람들도 많았다.

"제가 저지른 일은 개인적인 사건입니다. 그리고 심각한 문제라고 생각하지도 않습니다. 그 문제만을 볼 때 그리 중대한 것은 아니지만, 그것은 수많은 사람들이 밟고 있는 재판 수속의 좋은 실례라고 생각합니다. 저는 이런 사람들을 위해서 이 자리에 서 있는 것이지, 저 개인을 위해서가 아닙니다."

케이는 자기도 모르게 소리를 높였다. 그러자 누군가가 손을 높이 들고 박수를 치며 이렇게 외쳤다.

"옳소, 옳소!"

케이는 그 소리에 기운을 얻었다.

"저는 지금 재판에 부정이 있다는 것을 말하려는 게 아닙니다. 제 이야기를 좀 들어 보십시오. 저는 열흘 전에 체포되었습니다. 그것도 아침에 잠을 자다가 말입니다. 저와 마찬가지로 아무 죄도 없는 어떤 화가를 체포하라고 명령이 내려진 것 같은데, 바로 제가 그 대상이 되었습니다. 저를 체포한 사람들은 정말 어이가 없었습니다. 그들은 뇌물을 먹으려고 갖은 구실을 다 붙이고, 내 잠옷과 양복을 빼앗으려고 했습니다. 그리고 제 아침식사를 빼앗아 먹고, 돈까지 요구했습니다. 거기다가 제 옆방에 사는 어떤 여자의 방에 들어가 그 방을 어지럽혔습니다. 저는 제가 왜 체포되었느냐고 물었습니다. 그렇지만 그들은 아무 대답도 해 주지 않았습니다. 사실은 아무것도 몰랐겠지요. 그들은 그저 저를 체포하는 것으로 만족했던 것입니다. 감시원 중에 감독 하나는 그 여자 방에 있는 물건에 손을 대고 뒤헝클어 놓았습니다. 또 저와 함께 일하는 은행원까지 불러들였습니다. 그래서 제가 체포되었다는 사실을 사방에 퍼지게 했습니다. 다행히 저의 집주인은 순박한 사람이라 저를 이해했습니다. 제가 오히려 당하고 있다고 말했지만, 저의 사회적 체면은 손상되고 말았습니다. 저는 저한테 일어난 사건 때문에, 자꾸만 울화가 치밀어 오릅니다."

케이는 여기까지 말하고 나서 아무 말도 없이 앉아 있는 예심 판사를 바라보았다. 그 때 예심 판사가 누군가에게 얼핏 눈짓을 하는 것 같았다. 케이는 미소를 지으며 이렇게 말했다.

"예심 판사님은 지금 누군가에게 눈짓을 보내셨군요. 그 암시가 무엇을 의미하는지 저는 알 수 없습니다. 또 알고 싶지도 않습니다. 하지만 그런 식으로 누군가에게 암시를 보내는 것은 기분 나쁩니다."

예심 판사는 그 말에 어쩔 줄 몰라 하며 의자에서 이리저리 몸을 틀었다. 그러자 두 패로 나뉘어 있는 것처럼 보이던 사람들이 뒤섞여서, 어떤 사람은 케이를 가리키기도 하고, 어떤 사람은 예심 판사를 가리키기도 했다.

"여러분이 재판에 관심을 갖고, 저의 이야기를 들어주신 것에 감사드립니다. 제가 이야기한 것에 대해 할 말이 많으시겠지만, 그것은 다음으로 미뤄 주십시오. 저는 이제 돌아가겠습니다."

케이가 이렇게 말하자 장내는 순식간에 조용해졌다. 사실 케이가 이 집회를 이끌어 가는 것이나 마찬가지였다. 그 곳에 모인 사람들이 긴장된 표정으로, 자신의 목소리에 귀를 기울이고 있다는 사실이 케이를 기쁘게 했다. 눈에 보이지 않는 흥분이 감돌았다.

"제가 여기에서 신문을 받는 배후에는 법정에서 볼 수 없는 뭔가가 있습니다. 그 조직은 커다랗습니다. 그 조직은 죄 없는 사람들을 체포하고, 아무 소용도 없는 재판 수속을 하고 있습니다. 모든 일이 이처럼 대개 아무 의미도 없으니, 관리들은 당연히 부패할 수밖에요. 감시인들은 체포한 사람들에게서 옷을 빼앗으려고 합니다. 감독은 남의 집에 함부로 들어가 무고한 사람을 신문하고, 많은 사람들 앞에서 모욕을 주고 있습니다."

그 때 케이는 방 한쪽 구석에서 예리한 목소리가 나는 것을 듣고, 이야기를 멈췄다. 빨래를 하던 여자, 자기를 이 곳으로 안내해 준 여자가 보였다. 어떤 남자가 그 여자를 구석으로 끌고 가서 끌어안으려고 하자 여자가 소리를 지른 것이었다. 사람들의 시선이 온통 그쪽으로 쏠렸다. 케이가 만든 엄숙한 분위기를 그 두 사람이 망친 것이다. 그래서 케이는 얼른 그리로 뛰어가 질서를 잡으려고 했다. 케이는 그쪽으로 달려가면서 보았다. 그 곳에 있는 사람들이 가지각색의 휘장을 달고 있다는 것을. 언뜻 보기엔 오른쪽과 왼쪽으로 갈라져 있지만, 모두 똑같은 종류의 인간들이었다. 케이는 예심 판사의 옷깃에서도 그와 똑같은 휘장을 보았다.

'아, 그렇구나. 너희 모두가 관리였구나. 보기에는 두 패로 나뉘어져 있지만 말이야. 그래, 나를 떠보려고 박수를 친 거였어. 죄 없는 사람을 어떻게 하면 끌어들일까 애를 쓴 거라고.'

케이는 멍하니 어쩔 줄 몰랐다. 잠시 후 케이는 아무 말도 없이 사람들 사이를 헤치고 출입구 쪽으로 달려갔다. 그런데 어느 새 예심 판사가 문 앞에서 케이를 기다리고 있었다.

"잠깐! 주의를 주겠어. 자네는 오늘 신문할 때 체포된 사람이 받을 수 있는 특전을 포기한 거야."

하지만 케이는 이렇게 외쳤다.

"거지 같은 녀석들! 난 어떤 신문도 받지 않겠어."

케이는 문을 열고 계단을 쏜살같이 뛰어내려갔다. 방 안에 모인 사람들이 웅성거리는 소리가 들렸다. 그것은 아마도 이 사건을 어떻게 할 것인지를 의논하는 소리 같았다.

재판소 사무실

케이는 한 주일 동안 타협이 있지 않을까 해서 연락을 기다렸다. 신문을 거부한다고 말했지만, 그들이 그것을 받아들일 것 같지 않았다. 토

요일까지 연락이 없자, 케이는 일요일에 다시 그 곳을 찾아가기로 결심했다.

일요일 날 다시 그 곳으로 갔을 때, 사람들이 케이를 알아보고 인사를 했다. 케이가 막 재판소 문을 열려고 할 때, 지난번 빨래를 하고 있던 그 여자가 눈에 띄었다. 하지만 케이는 그 여자를 쳐다보지도 않고, 방으로 들어가려고 했다.

"오늘은 쉬는데요."

하고 여자가 말했다.

"왜 쉬죠?"

하고 케이는 믿을 수 없다는 듯이 물었다. 방문을 열어 본 케이는, 여자의 말이 맞다는 것을 알았다. 방 안은 텅 비어 있었다. 연단 위에 놓인 책상 위에는 여전히 책이 몇 권 놓여 있었다.

"저 책을 좀 봐도 될까요?"

"안 돼요. 저건 예심 판사님의 책이에요."

"아, 그렇습니까……. 그럼 틀림없이 법률 서적이겠군요. 이 사법 제도는 아무 죄도 없는 사람에게 판결을 받게 한단 말씀이야."

"예심 판사님께 뭐 전할 말씀이라도 있나요?"

"그 사람을 아시오?"

"당연하죠. 제 남편이 재판소에서 일한답니다."

케이는 그 때서야 비로소 이 방이 말끔하게 정리되어 있다는 것을 알았다.

"이 방은 저희가 그냥 빌려 쓰고 있어요. 하지만 신문이 있는 날에는 비워 두어야 합니다."

"방 때문에 놀란 것이 아닙니다. 나는 당신이 결혼했다는 사실을 알고 놀랐습니다."

"제가 당신의 이야기를 방해한 것에 대해 아직도 화가 나세요?"
"그건 다 지난 일입니다. 하지만 그 때는 정말 화가 났습니다."
"이야기가 중단되었다고 해서 당신한테 불리한 것은 없지 않았나요? 사실, 법정 사람들의 태도는 옳지 못해요. 저를 끌어안은 남자는 오래전부터 저를 따라다녔어요. 그 사실을 제 남편도 알아요. 하지만 저의 남편이 직장을 계속 다니려면 그냥 참아야 했죠. 날 끌어안은 남자는 법을 공부하는 학생이에요. 아마 나중에 법관이 될 거예요. 당신은 재판제도를 좀 개선해 보려는 것이지요? 당신은 말씀을 참 잘하시더군요. 저도 동감해요. 물론 조금밖에 듣지 못했지만요. 그런데 당신은 잘못된 것들을 개선할 수 있다고 생각하시나요?"
케이는 미소를 지으며 그 여자의 두 손을 잡았다.
"사실 저는 제가 당한 억울함을 풀어 보려고 한 것입니다. 물론 나 자신을 위해서 그런 거죠. 그런데 혹시 저를 도와주실 수 있습니까?"
"어떻게 제가 도와 드릴 수 있겠어요?"
"우선 저 위에 있는 책을 좀 봤으면 해요."
"그러세요."
여자는 낡고 해진 책을 케이에게 건네주었다. 케이는 책의 첫 장을 펼쳐 보았다. 한 쌍의 남녀가 벌거벗고 있는 그림이었다. 케이는 제목을 보고 나서야, 그 책이 소설이라는 것을 알았다.
"이런 책을 읽는 사람한테 재판을 받아야 하다니, 원."
"당신을 도와 드릴게요."
"그러다가 공연히 낭패를 당하는 게 아닐까요? 거기다 당신 남편이 재판소에서 일을 한다는데……. 남편에게 해를 끼치면 어떡하지요?"
"그래도 돕고 싶어요. 이리 오세요. 우리, 이야기 좀 해요."
여자는 케이에게 계단에 앉으라고 했다.

"당신은 눈이 참 아름답군요. 당신을 처음 볼 때부터 그렇게 생각했어요. 그래서 당신을 따라 저도 신문실로 들어갔던 거예요."

여자의 그 말에 케이는,

'이 여자가 나를 유혹하려는군. 이 여자는 타락한 여자야.'

라고 생각했다. 그래서 여자에게 이렇게 말했다.

"당신이 나를 도울 수 있다고는 생각하지 않아요. 저를 정말 도와주시려면, 높은 관리들과 관계가 있어야 합니다. 그런데 당신은 하부 관리들만 알잖아요?"

그러자 여자는 케이의 손을 붙잡고 이렇게 말했다.

"가시면 안 돼요. 잠깐만이라도 여기 계세요. 당신은 나를 값싼 여자라고 생각하시는 거죠?"

"좋습니다. 당신이 그렇게 원하신다면 여기에 있도록 하지요. 저는 오늘 신문이 있을 것 같아서 왔습니다. 저의 소송 문제에 대해서는 아무 말도 마십시오. 그리고 제가 당신의 호의를 무시한다고 해서, 서운하게 생각하지는 마십시오. 사실 여기 있는 사람들은 내가 뇌물이라도 주기를 바라겠지요. 그러나 소용 없습니다. 난 절대로 뇌물은 바치지 않으니까요. 그런데 당신은 정말 예심 판사를 잘 아십니까?"

"그럼요. 당신을 도와 드리려고 했을 때도, 제일 먼저 예심 판사를 생각했어요. 그 양반이 지위가 낮은 관리인지는 몰라도, 그 분이 상부에 올리는 보고는 꽤나 힘을 발휘하나 봐요. 당신은 관리들이 게으르다고 말했지만, 그 사람은 애를 많이 써요. 지난 일요일에는 재판이 저녁 때까지 있었는데, 다른 사람들이 다 돌아간 후에도 예심 판사님은 늦게까지 남아 공부를 하셨어요. 재판과 관련된 것들을 보는 거겠죠. 사실, 예심 판사님은 저를 좋아해요. 그래서 그 양반을 이용하려는 거지요. 보세요, 이 양말도 예심 판사님이 준 거예요. 물론 제가 법정을 청소하느라 수고한다고 주신 거지만, 사실은 다른 맘으로 그런 거예요. 전 법정을 청소하는 대가로 봉급을 받는걸요."

이 여자는 여기까지 말하고 케이의 마음을 안심시키려는 듯이, 케이의 손 위에 자기의 손을 얹고 이렇게 속삭였다.

"이봐요, 베리트홀트가 우리를 보고 있어요."

케이는 천천히 고개를 들었다. 법정 문 옆에 어떤 젊은 남자가 서 있었다. 그는 노랑 수염을 비틀며 위엄을 보이려고 했다. 그 남자는 법을 공부하는 학생으로, 앞으로 높은 관직에 오를지도 모른다. 그 학생은 수염에서 손을 떼더니 여자에게 오라는 손짓을 했다.

"잠깐 다녀올게요. 곧 돌아올 거예요. 그리고 만일 당신이 절 원하신다면 같이 가겠어요. 어디든지 당신이 원하는 대로요. 될 수 있는 대로 여기서 멀리 떨어진 곳이면 좋겠어요."

그 여자는 그 때까지도 케이의 손을 어루만지고 있었다. 그러고는 자리에서 벌떡 일어나 창문으로 달려갔다. 케이는 정말 그 여자한테 마음이 끌렸다. 여자는 창가로 가서 나직하게 학생과 무슨 말인가를 주고받았다. 그들이 오랫동안 이야기를 주고받았기 때문에 케이는 무척 지루했다. 그래서 손으로 연단을 두들기다가, 나중에는 주먹으로 연단을 쳤다. 하지만 학생은 이야기를 멈추지 않았다. 오히려 케이의 기분을 상하게 하려는 듯, 여자의 허리를 끌어안았다. 그리고 그 여자의 목에 '쪽' 소리를 내며 키스를 했다. 학생의 이런 태도에 여자가 화를 내자, 학생은 더 거칠게 여자를 끌어안았다. 케이는 화가 나서 어쩔 줄 몰라 방 안을 왔다갔다했다.

"그렇게 못 참겠으면 가면 되잖아. 왜 그렇게 어물거리는 거야?"

학생의 말에는 미래의 법관이라는 거만한 태도가 들어 있었다.

"이봐, 자네가 법관이 되려면 배워야 할 게 많겠군. 자네가 공부하는 법을 난 잘 모르지만, 그렇게 건방을 떨려고 법관이 되는 건 아니겠지?”

이렇게 말하고 케이는 여자한테 손을 내밀었다.

“자, 이리 와요.”

“안 돼. 이 여자를 뺏길 수 없어.”

학생은 어디서 힘이 났는지, 그 여자를 한 팔로 덥석 안고는 문을 향해 걸어갔다. 그러면서도 케이에 대한 불안한 빛을 감추지 못했다. 케이는 학생의 목을 졸라 버려야겠다는 생각으로 달려갔다. 여자는 케이의 심상치 않은 눈빛을 보고 이렇게 말했다.

“쓸데없는 짓 하지 말아요. 예심 판사님이 저를 불러 오라고 보내신 거예요.”

“그러고 보니, 당신이 나랑 같이 떠나고 싶다고 한 말은 거짓말이었군요.”

이렇게 말하고 케이는 한쪽 손을 학생의 어깨에 얹었다. 그러자 학생은 케이의 손을 이빨로 물어뜯으려고 했다.

“그러지 마세요. 난 그저 예심 판사님의 명령에 따라, 거길 가는 거라고요.”

“좋아요, 맘대로 해요. 당신과 다시는 만나지 않겠소.”

케이는 화를 내며 말하고, 여자를 안은 학생을 떠다밀었다. 하지만 학생은 다행히 쓰러지지 않았다. 학생은 여자를 끌어안고, 후닥닥 도망을 갔다. 케이는 천천히 그들의 뒤를 따라갔다. 학생은 그 여자를 데리고 계단 위로 올라갔다. 그는 뛰어 올라간 탓에 기운이 빠졌는지, 느린 걸음으로 숨을 몰아쉬고 있었다. 여자는 계단 밑에 서 있는 케이를 보고, 자신은 아무 잘못도 없다는 것을 알리려는 듯했으나, 케이와 헤어지는 것을 별로 섭섭해하는 것 같지는 않았다. 여자와 학생이 사라지고 케이는 문간에 서 있었다. 케이는 계단 입구에 붙어 있는 자그만 간판을 보았다. '재판소 사무실 승강구' 라고 씌어 있었다.

'그러면 이 아파트 지붕 밑에 재판소 사무실이 있었던가?'

케이가 간판 앞에 서 있는데 어떤 재판소 사환 하나가 계단을 올라와서, 열려진 문으로 거실을 들여다보았다. 그러고는 케이에게 어떤 여자를 보지 못했느냐고 물었다.

"당신이 남편이로군요."

"아, 그러고 보니 당신은 지난 주에 왔던 피고인 케이 씨군요. 반갑습니다."

그러면서 사환은 케이에게 악수를 청했다.

"그런데 오늘은 쉬는 날인데요."

"예, 압니다."

케이는 그 사환의 옷을 바라보았다. 관청에 다닌다는 표시로 두 개의 금단추가 달려 있었다. 아마도 어떤 장교의 낡은 외투에서 떼내어 단 것 같았다.

"조금 전에 당신 부인을 만났습니다. 학생이 와서 예심 판사한테 데리고 갔습니다."

"제 처는 언제나 그렇게 끌려다니지요. 오늘은 아무 일이 없는데도 일부러 일을 시키지 뭡니까? 아내를 부르러 온 학생 녀석을 나도 잘 압니다. 이런 일이 있을 거라고 짐작했습니다."

"당신 아내한테는 죄가 없단 말인가요?"

"그럴 리가요. 그 여자가 가장 죄가 크지요. 사실은 제 아내가 그놈한테 홀딱 반했거든요. 하긴, 그 녀석이라면 어떤 여자라도 따르고 말 거예요. 게다가 이 건물에서는 제 아내가 제일 예쁘니, 전들 어떻게 막을 수가 있어야지요. 그 학생놈은 겁쟁이에요. 언제 한 번 실컷 두

들겨 패 줄 겁니다. 다시는 내 아내한테 추근대지 못하도록 말입니다. 그러나 당신 같은 사람이라면 몰라도 난 아마 그런 짓을 못할 겁니다. 힘이 없으니까요. 아, 참! 당신은 고소를 당한 상태죠?"

"내가 당신이라도 그놈을 해치우고 싶을 겁니다."

"감사합니다. 그런데 전 사무실로 가 봐야 하는데, 함께 가시지 않겠습니까?"

"전 볼일도 없는데요."

케이는 주저하며 이렇게 말했지만, 가고 싶었다.

"가 보시면 좋습니다."

"그럼 같이 가지요."

그 사환은 케이를 안내했다.

"여기가 휴게실입니다."

휴게실의 창살 사이로 몇몇 관리가 일하는 것이 보였다. 일요일이어서 그런지 사람들은 별로 없었다. 사람들은 모두 점잖아 보였다. 확실히 말할 수는 없지만, 대개 부유해 보이는 사람들이었다. 바로 문 옆에 앉아 있던 사람들은 케이와 사환을 보고, 인사를 하려고 일어섰다. 그러자 다른 사람들도 등이나 무릎을 구부리며 엉거주춤하게 일어섰다.

"저 사람들은 어쩐지 비굴해 보이는군요."

"모두 피고인들입니다."

"그러면 저와 같은 사람들이군요."

케이는 키가 크고 백발이 다 된 남자를 보고 이렇게 말했다.

"당신은 여기서 뭘 기다리나요?"

그 남자는 예상치 않은 케이의 질문을 받고 당황해했다. 그 때 케이를 안내하던 사환이 질문을 받은 남자를 안심시키려고 이렇게 말했다.

"이 양반은 그저 무엇을 기다리는지 묻는 거예요."

"제가 기다리고 있는 것은……."

이렇게 이야기를 시작했지만, 남자는 말문이 막혀 다음 말이 나오지 않았다. 그리고 한참 후에야 이렇게 말했다.

"한 달 전에 제 사건에 대한 증거 신청을 했습니다. 그게 정리되길 기다리고 있습니다."

"애를 많이 쓰시는군요. 그런데 왜 그런 일이 필요하죠?"

"자세한 것은 모르지만……."

남자는 또다시 말을 잇지 못했다.

"좌우지간 저는 증거 신청을 했습니다."

케이는 그 남자의 비굴한 태도에 자기도 모르게 구역질이 났다. 하지만 어떻게 해서든지 그 남자가 무안하지 않도록 그를 가볍게 잡았다. 그런데 갑자기 그 남자는 케이가 자기를 붙잡는 것에 놀라서 소리를 질렀다. 이런 터무니없는 소리를 듣자 케이는 기분이 나빠졌다.

'이 사람은 나를 재판관으로 알고 있는 걸까?'

사람들은 비명을 지른 남자 주변에 모여들었다. 그 때 케이를 향해 어떤 감시인이 걸어왔다.

"무슨 일이죠?"

그러더니 감시인은 조사를 해야겠다는 듯한 표정으로 케이를 쳐다보았다. 케이는 다른 사람들이 자기가 체포당하는 것으로 오해할지도 모른다고 생각했다. 그래서 함께 있던 사환에게 이렇게 말했다.

"전 이만 가 봐야겠습니다."

"아직 다 보지 못했습니다."

"하지만 별로 보고 싶지 않습니다. 출구가 어디죠? 길을 좀 가르쳐 주십시오. 여기는 문이 너무 많아서, 혹시 길을 잘못 들지 않을까 걱정이 되는군요."

"길은 하나뿐입니다. 나는 당신과 함께 나갈 수 없습니다. 보고도 해야 하고, 그리고 그렇게 자꾸 떠들면 곤란합니다. 정 가시고 싶으시다면 혼자 가십시오. 아니면 제가 보고를 마칠 때까지 기다리시든지."

"기다릴 수는 없어요. 지금 같이 가요."

그 때 한 처녀가 나타나더니 케이가 떠드는 소리가 시끄럽다는 듯이 이렇게 말했다.

"무슨 일이 있나요?"

그 여자 뒤에는 또 다른 남자가 걸어오고 있었다. 케이는 자기가 피고이며, 다음 신문 날짜를 물어 보려고 왔다고 말했다. 그런데 케이는 갑자기 다리가 휘청거리며 현기증이 났다. 그러자 처녀는 케이에게 의자를 갖다 주며 앉으라고 했다. 여자는 차분하고 새침한 표정을 지었다.

"걱정하지 마세요. 여긴 처음 오셨지요? 그래요. 그러면 이상할 것도 없어요. 사실 이 사무실은 공기가 엉망이죠. 빨래를 하도 많이 널어 놓아서 기분이 나빠질 수도 있어요. 하지만 나중에는 익숙해져요. 이젠 기분이 어떤가요?"

케이는 아무 대답도 하지 않았다. 처녀는 케이의 기분을 좋게 하려고 창문을 열어 주었다.

"여기 있으면 안 돼요. 다른 사람들이 다니는 데 방해가 되니까요. 원하신다면 병실로 데려다 드릴게요."

처녀가 문간에 서 있던 남자에게 손짓을 하자 남자가 가까이 다가왔다. 그러나 케이는 병실에 가긴 싫었다.

"이제는 걸을 수 있습니다."

하고 말하고 케이는 몸을 일으켰다. 하지만 똑바로 설 수가 없었다.

"안 되겠어요."

하며 케이는 다시 의자에 주저앉았다. 그는 자기 앞에 있던 처녀와 남

자를 바라보았다. 그런데 계속 함께 있던 재판소 사환이 보이지 않았다. 그 때 남자가 케이를 보며 말했다.

"내가 생각하기에 이 분이 몸이 안 좋은 것은, 이 곳 공기가 나빠서예요. 그러니 병실로 가는 것보다 우선 이 사무실에서 나가는 것이 좋을 거예요."

그 말에 케이는,

"맞습니다. 사무실을 나가면 기분이 좋아질 것 같습니다. 그러니 조금만 저를 부축해 주세요. 계단에서 조금 쉬면 괜찮아질 것 같습니다. 지금까진 이런 일이 한 번도 없어서 저도 좀 놀랐습니다."

두 사람은 케이를 부축했다. 여자가 케이에게 이렇게 말했다.

"이 분은 이 사무실 안내인이에요. 궁금한 게 있으면 이 분에게 질문하시면 돼요. 이 사람의 장점은 질문에 바로 답하는 거랍니다. 아, 또 하나 있어요. 바로 말쑥한 옷차림이지요. 피고인들을 직접 만나는 안내인들은 좋은 옷을 입어야 해요. 그런데 이 옷은 관청에서 나오는 게 아니랍니다. 저희들이 돈을 모아서, 물론 피고들한테서도 받았지만, 그 돈을 모아 안내인 옷을 산답니다. 어때요, 제법 괜찮은가요?"

그러자 남자는 여자에게 왜 자기들의 일을 남한테 이야기하느냐고 나무랐다. 케이는 두 사람이 주고받는 말을 그냥 듣고만 있었다. 그러다가 두 사람이 자기를 붙잡고 있다는 것을 느꼈다.

"자, 일어나세요. 참 몸이 약하시군요."

안내인이 말했다. 세 사람이 복도 가까이 왔을 때 처녀는 이렇게 말했다.

"사람들은 우리를 오해해요. 우리가 재판소에서 일하니까, 냉정하고 남을 도와주지 않는다는 인상을 풍겨요. 사람들이 그런 생각을 하는 게 참 괴로워요."

케이는 뱃멀미를 하는 것 같은 기분이었다. 그래서 자기를 부축하는 두 사람을 태연하게 바라볼 수가 없었다. 케이는 그들에게 자기 몸을 맡겼다. 어느 새 출입문 앞에 이르러 케이는 계단에 한 걸음을 내디뎠다. 그리고 자기를 부축해 준 사람들에게 고맙다는 인사를 했다. 케이는 예전에는 이런 일이 없었다. 무척 건강했는데 갑자기 이런 일을 당하니, 조금 걱정이 되기도 했다.

'의사를 찾아가야겠어.'

뷔르스트너의 친구

그 후 얼마 동안 케이는 뷔르스트너와 이야기할 기회가 없었다. 뷔르스트너에게 접근하려고 했지만, 언제나 그녀는 케이를 피했다. 사무실에서 집으로 돌아오면, 그는 방 안에서 응접실만 바라보았다. 아침에는 평소보다 일찍 일어나 뷔르스트너를 만나려고 했다. 하지만 뷔르스트너는 더 일찍 일어나 나가고 없었다.

케이는 그 여자 사무실과 방으로 편지를 써서 보냈다. 편지에 자기의 태도에 대해 다시 한 번 밝혔다. 케이는 그 여자가 지키기 원하는 한계는 결코 넘지 않겠다고 썼다. 그러면서 직접 만나 이야기할 시간을 단 한 번만이라도 달라고 애원했다. 하지만 뷔르스트너에게서는 답장이 없었다.

어느 일요일, 케이는 아침 일찍부터 열쇠 구멍을 통해 뭔가 특별한 일이 있다는 것을 알았다. 몬타크라고 하는 독일 여자가 뷔르스트너의 방으로 이사를 하는 것이었다. 몬타크는 몸이 약하고 다리를 조금 저는 프랑스 어 선생이었다. 그루바흐 부인이 아침 식사를 들고 케이 방에 들어 왔을 때, 케이는 그루바흐 부인에게 물었다.

"왜 이렇게 응접실이 분주한 건가요? 왜 하필 일요일에 방을 치우는 겁니까?"

"방을 치우는 게 아닙니다, 선생님. 몬타크 양이 뷔르스트너 양의 방으로 이사를 하느라고 짐을 옮기고 있습니다."

케이는 부인을 한 번 떠보려고 이렇게 말했다.

"전에 뷔르스트너 양에 대해 당신이 의심하시던 것은 이제 푸셨나요?"

"케이 선생님, 당신은 내가 누군가를 모함한다고 생각하시나요? 전 그런 생각이 전혀 없어요. 사실 그 이야기를 하고, 제 마음이 얼마나 괴로웠는지 모릅니다."

부인은 울음 섞인 목소리로 말했다. 부인은 얼굴에 앞치마를 대고, 흐느껴 울었다.

"울지 마세요."

하지만 그루바흐 부인은 계속 울고 있었다.

"저도 나쁜 의미로 말한 게 아닙니다. 서로 오해했어요. 그런데 혹시 당신은 뷔르스트너 양 때문에, 우리 사이가 멀어진다고 생각하시나요?"

"예, 저는 케이 선생님이 왜 뷔르스트너 양을 걱정하실까 하고 생각했어요. 선생님한테 싫은 소리를 들으면 제가 잠을 자지 못한다는 것을 알면서, 선생님은 왜 뷔르스트너 양 문제로 저와 다투려고 하시는 걸까 하고요. 사실 저는, 뷔르스트너 양에 대해 제가 본 것을 그대로 말씀드린 것뿐입니다."

케이는 그 이야기에 대해 더 이상 말하지 않았다. 문 밖에서는 몬타크 양이 걸어가는 소리가 들렸다.

"뷔르스트너 양은 참 이상해요. 몬타크 양한테 방을 내주는 것을 그렇게도 싫어하더니, 이제는 자기 방으로 불러들이다니. 선생님, 시끄러우시면 이사는 다른 날에 하라고 할까요?"

"아뇨, 괜찮습니다."

그루바흐 부인은 머리를 끄덕였다. 케이는 방 안을 이리저리 걸어다녔다. 그 때 노크하는 소리가 났다. 그루바흐 집에서 일하는 식모였다.

"몬타크 양이 좀 보고 싶다는데요. 식당에서 기다리겠답니다."

케이는 곧 나갔다. 응접실을 지나며 뷔르스트너 양의 방문을 바라보았다. 그러나 초대받은 곳은 뷔르스트너 양의 방이 아니라 식당이었다. 창문이 하나밖에 없는 식당은 길고 비좁았다. 이미 식사 준비는 다 되어 있었다. 더구나 일요일에는 하숙하는 사람들이, 거의 다 여기서 밥을 먹기 때문에 준비할 게 많았다. 케이가 식당에 들어서자, 몬타크 양은 케이를 향해 걸어왔다. 몬타크 양이 먼저 말했다.

"저를 아실지 모르겠네요."

"잘 압니다. 당신은 여기 사신 지 오래 되셨잖아요."

"그래요? 감사합니다. 자, 앉으시지요."

두 사람은 아무 말도 없이 식탁 한쪽에서 의자를 끌어당겨, 서로 마주 보고 앉았다.

"저는 뷔르스트너의 부탁을 받고, 당신에게 몇 말씀 드리려고 합니다. 친구도 오려고 했지만, 오늘 기분이 좋지 않아서……. 그렇다고 너무 기분 나쁘게 생각하지 마세요. 그리고 그 친구 대신 제가 말씀드리는 것을 들어주세요."

"저는 뷔르스트너 양을 만나고 싶은데……."

"저는 뷔르스트너한테 당신 이야기를 들었어요. 저는 당신에게 어떤 식으로든 회답을 줘야 한다고 말했지요. 그게 일을 원만하게 해결해 줄 거라고 말이지요. 그랬더니 뷔르스트너는, 날더러 대신 당신을 만나 달라고 하더군요."

"어쨌든 감사합니다."

케이는 문 쪽으로 걸어갔다. 몬타크는 케이의 마음을 알 수 없다는 듯이 그의 뒤를 몇 걸음 따라갔다. 그 때 문이 열리면서 란츠 대위가 들어왔다. 케이는 처음으로 그 남자를 가까이에서 볼 수 있었다. 그는 몸집이 크고 나이는 마흔 정도 되어 보였다. 햇볕에 까맣게 타고 통통한 얼굴이었다. 란츠 대위는 케이와 몬타크에게 가볍게 인사를 했다. 몬타크는 대위에게 자기를 소개하려고 했다. 하지만 케이는 그 두 사람과 정답게 이야기할 기분이 나지 않았다.

케이는 대위가 그 여자의 손에 키스하는 것을 보고, 이 행동에는 케이를 뷔르스트너한테서 떼어 내려는 의도가 있을지도 모른다고 생각했다. 케이는 이렇다 할 인사도 없이 방을 나섰다. 그는 곧바로 자기 방으로 가려고 했지만, 식당에서 들리는 몬타크의 웃음소리가 귀에 거슬렸다. 케이는 그들의 행동이 마음에 들지 않아서, 그들을 한 번 놀라게 해 주어야겠다고 생각했다. 그래서 일부러 뷔르스트너 양의 방문 앞으로 가서 가볍게 노크를 했다. 아무 기척이 없어서 그는 다시 한 번 노크를 했다. 역시 대답이 없었다.

'자고 있는 걸까? 아니면 방 안에 들어앉아 있는 게 아닐까?'

뷔르스트너가 방 안에 있다고 생각한 그는 더 크게 노크를 했다. 하지만 여전히 응답은 없었다. 케이는 조심스럽게 문을 열어 보았다. 방 안에는 아무도 없었다. 뷔르스트너는 케이가 몬타크와 식당에서 이야기를 하는 동안 나간 모양이었다. 그러나 케이는 그리 놀라지 않았다. 그렇게 쉽게 뷔르스트너를 만나리라고는 생각하지 않았기 때문이다. 방문을 다시 닫고, 열린 식당 문간에서 몬타크와 대위가 서로 이야기하는 것을 보자, 케이는 쓸쓸한 기분이 들었다. 케이가 뷔르스트너의 방문을 열었을 때부터, 그들은 거기서 케이를 살피고 있었던 것이다. 케이는 급히 자기 방으로 들어갔다.

태형관

어느 날 저녁 케이가 사무실과 중앙 계단 사이로 통하는 복도를 지나고 있을때, 창고 안에서 이상한 신음 소리가 들렸다. 그 창고는 아직 한 번도 들여다 본 적이 없는 창고였다. 깜짝 놀란 케이는 발걸음을 멈추고, 잘못 들은 게 아닐까 하고 귀를 기울였다. 잠시 조용했지만 다시 신음 소리가 났다. 증인이 필요할 것 같아서 케이는 급사를 부르려고 했다. 하지만 호기심을 참지 못한 케이는 노크를 하고 문을 열었다. 창고에는 낡은 인쇄물과 빈 잉크병들이 너저분하게 흩어져 있었다. 그 곳에서 세 명의 남자가 허리를 구부리고 서 있었다. 선반 위에 놓인 촛불이 그들의 얼굴을 희미하게 비추고 있었다.

"여기서 뭘 하는 거야?"

하고 케이가 물었다. 검은 가죽 옷을 입은 한 남자가 두 남자를 자기 마음대로 다루고 있었다. 그 남자는 아무 대답도 없었고, 다른 두 남자가 이렇게 외쳤다.

"이봐요. 당신이 예심 판사한테 쓸데없는 소리를 해서, 우리가 이렇게 매를 맞고 있소."

케이는 그들이 바로 감시인인 프란츠와 빌렘이라는 것을 알았다. 한 남자가 그들을 때리려고 채찍을 손에 들고 있었다.

"나는 쓸데없는 소리를 한 적이 없소. 그저 내가 겪은 일을 말했을 뿐이오."

"여보시오!"

하고 빌렘이 말했다. 그 때 프란츠는 뒤에서 몸을 향해 정확히 내려오는 채찍을 피하려고 했다.

"저희들은 보수를 많이 받지 못해요. 그걸 아신다면 저희들을 좀 너그럽게 봐 줄 수도 있었을 텐데. 저희들은 가족을 먹여 살려야 해요. 게다가 저는 결혼을 앞두고 있고요. 흔히 있는 일이었어요. 당신이 입은 잠옷은 우리 마음을 유혹했어요. 물론 그런 일을 해서는 안 되죠. 하지만 체포된 게 틀림없는 사람에게 잠옷이 무슨 소용입니까?"

하고 프란츠가 말했다. 그러자 빌렘이 다시 감시인을 바라보며 말했다.

"이봐, 프란츠. 이 양반은 우리를 처벌하라고 욕하지 않았다고! 내가 자네한테 말하지 않았던가? 이 양반은 우리가 처벌을 당할지 몰랐단 말이야."

"이런 말에 흔들리지 말아요. 처벌은 당연한 거야."

하고 채찍을 든 남자가 말했다.

"우리가 이렇게 처벌을 받게 된 것은, 당신이 밀고한 탓입니다. 우리는 그 동안 열심히 일을 해 왔어요. 그래서 출세할 희망도 있었지요. 머지않아 우리도 틀림없이 이 사람처럼 태형관이 되었을 겁니다. 그러나 이제는 모든 게 틀렸어요. 게다가 지금 이렇게 무서운 매를 맞고 있어요."

케이는 걱정스런 눈으로 태형관의 얼굴을 바라보며 말했다.

"이 두 사람에 대한 형벌을 감할 수는 없습니까?"

"없습니다."

태형관은 능글맞게 웃으며 말했다.

"옷을 벗어!"

태형관은 감시인들에게 이렇게 명령하고, 다시 케이를 보며 말했다.

"저놈들의 말을 그대로 믿으면 안 돼요. 저놈들은 채찍이 무서워서 머리가 좀 돌았어요. 출세니 뭐니 말했지만, 저 뚱뚱한 몸을 보세요. 왜 저렇게 살이 쪘는지 아세요? 저놈들에겐 체포된 사람들의 아침을 뺏어먹는 버릇이 있어요. 저렇게 뚱뚱한 놈은 태형관이 될 수 없어요."

"이 사람들을 놓아 주면 사례는 얼마든지 하겠습니다."

케이는 이렇게 말하고 지갑을 꺼냈다.

"당신은 이번에는 나를 밀고해서 매를 맞게 할 작정이군요. 받을 수 없습니다."

"좀 생각해 보시오. 이 두 사람이 벌을 받는 것을 원했다면, 내가 이렇게 당신한테 돈을 주면서까지 저들을 구하려고 하겠습니까? 저는 이 두 사람을 진정으로 구하고 싶습니다. 저 사람들이 벌을 받게 된다는 걸 알았다면, 전 저 사람들의 이름도 말하지 않았을 겁니다. 저는 두 사람이 죄가 있다고 생각하지 않습니다. 문제는 제도지요. 죄는 상관들에게 있습니다. 당신이 이 사람들을 때린다고 해도, 막지는 않겠습니다. 그러나 반대로 당신이 용기를 내서 저 사람들을 놓아 준다면, 나는 돈을 아끼지 않겠습니다."

"나는 뇌물 따위에 넘어가지 않습니다. 내가 할 일은 죄를 지은 사람을 때리는 일입니다."

케이가 끼어들어서 결과가 좋아질 거라고 기대한 프란츠는, 무릎을 꿇고 케이의 팔에 매달려 이렇게 속삭였다.

"우리 두 사람을 다 구할 수 없다면, 저라도 구해 주십시오. 저는 빌렘이 시키는 대로 했을 뿐입니다. 난 저 사람의 부하니까요. 은행 앞에서 불쌍한 저의 약혼자가 저를 기다리고 있어요. 저는 정말 부끄러워 못 견디겠어요."

프란츠는 케이의 웃옷에 눈물에 젖은 자기 얼굴을 비볐다.

"더 이상 기다릴 수 없어!"
하고 말하고 태형관은 프란츠를 후려갈겼다. 울부짖는 소리가 프란츠의 입에서 터져 나왔다. 그것은 인간의 소리가 아니었다.

"소리 지르지 마!"

케이는 갑자기 이렇게 소리 질렀다. 이상한 소리가 나는 것을 듣고, 급사 하나가 나타났다. 그 뒤로 또 한 명의 급사가 달려왔다. 울부짖는 소리가 완전히 그쳤다. 급사가 가까이 오지 못하도록, 케이는 그들을 향해 이렇게 외쳤다.

"나야!"

"안녕하세요, 업무 주임님. 무슨 일이 있나요?"

"아무것도 아니야. 안뜰에 있는 개가 짖었어."

급사들은 다시 돌아갔다. 케이는 창고 안으로도 들어가지 못하고, 그렇다고 집으로 돌아가고 싶지도 않았다. 그는 매질하는 것을 막지 못한 것이 괴로웠다. 하지만 그것이 케이의 책임은 아니었다. 케이는 태형관에게 지폐를 주었을 때 태형관의 눈이 반짝이는 것을 보았다. 태형관은 뇌물 액수를 더 높이려고 더욱더 채찍을 휘둘렀다.

멀리서 급사들의 발소리가 들렸다. 그네들의 눈에 띄지 않게 문을 닫고, 케이는 중앙 계단으로 갔다. 감시인의 목숨은 태형관의 손에 달려 있었다. 케이는 현관을 내려갔다. 광장에는 누구를 기다리는 듯한 사람은 없었다. 약혼자가 기다린다는 프란츠의 말은 거짓말이었다. 하지만 그런 거짓말쯤은 용서할 수 있었다.

다음 날에도 케이의 머리에서는 감시인들의 생각이 떠나지 않았다. 돌아오는 길에 그는 창고 앞을 지나며 문을 열어 보았다. 모든 것이 전날 밤 본 그대로였다. 문지방 밑에 쌓아 놓은 인쇄물, 잉크병, 채찍을 손에 들고 있는 태형관, 옷을 벗고 있는 감시인들, 선반 위에 놓인 촛불.

감시인들은 케이를 보자 탄식하며 이렇게 외쳤다.

"우릴 좀 살려 주세요!"

케이는 바로 문을 닫고 급사한테 달려갔다. 급사들은 조용히 등사를 하고 있다가, 케이를 보고 깜짝 놀라 하던 일을 중지했다.

"내일 창고를 치워 주게."

케이는 이렇게 외쳤다.

"정말 먼지투성이야."

급사들은 내일 청소하겠다고 말했고, 케이는 머리를 끄덕였다. 밤이 깊었기에, 자기 마음대로 일을 시킬 수가 없었다. 케이는 피곤한 몸으로 허둥지둥 집으로 돌아갔다.

칼 아저씨, 레니

어느 날 오후, 우편물 마감 전날이어서 케이는 몹시 바빴다. 그 때 시골 소지주인 케이의 아저씨 칼이 왔다. 케이는 아저씨를 보고 그다지 놀라지 않았다. 아저씨가 온다는 소식을 벌써 한 달 전에 들었기 때문이었다. 아저씨는 항상 바빴다. 그는 언제나 하루밖에 머물지 않으면서도, 그 동안 계획했던 일을 모두 처리해야 했다. 게다가 아저씨는 이 곳에서나 맛볼 수 있는 오락을 하나도 놓치지 않으려고 했다. 케이는 아저씨를 극진히 돌봐 드려야 했다. 그 자신이 아저씨에게 은혜를 입었기 때문이었다. 케이는 언제나 아저씨를 '시골서 온 유령'이라고 불렀다.

인사가 끝나자 아저씨는 단둘이서 이야기를 나누고 싶다고 했다. 케이는 아무도 자기 방에 들여보내지 말라고 급사에게 일러 두었다.

"요제프, 도대체 어떻게 된 일이냐?"

두 사람만 남게 되자 아저씨가 말했다. 무슨 이야긴지 알기는 했지만, 케이는 긴장이 풀리면서 갑자기 피곤해졌다. 케이는 창문 건너편 건물을 바라보았다.

"바깥만 보지 말고, 제발 대답 좀 해 봐. 그게 정말이야? 어떻게 그런 일이 있을 수 있어?"

"제 소송에 대한 이야기를 들으셨군요."

"그래, 네 이야기를 들었어."

"대체 누구한테서요?"

"에르나가 편지를 보냈어. 사실 그 애는 너와 아무런 연락을 주고받지 않고 있고, 너는 너대로 그 애를 대수롭잖게 생각하는 것 같더구나. 난 그게 섭섭해. 어쨌든 그 애는 모든 걸 다 알고 있더라. 사실 오늘, 그 애의 편지를 받고 이리로 달려왔다. 자, 내가 너와 관계 있는 부분만 읽어 줄게."

아저씨는 종이봉투에서 편지를 꺼내어 읽기 시작했다.

전 오랫동안 요제프를 만나지 못했습니다. 저번 주말에 한 번 은행에 갔었지만, 요제프가 바빠서 만나지 못했습니다. 요제프가 누군가와 이야기를 나누고 있어서 잠시 기다리다가, 요제프가 아직도 상담 중이냐고 급사에게 물어 보았습니다. 그랬더니 급사가 요제프한테 어떤 소송 문제가 생겼다고 말해 주었습니다. 제가 어떤 소송인지, 잘못 안 것이 아니냐고 물었더니, 그렇지 않다고 했습니다. 매우 중요한 소송인 듯하지만, 자기는 자세히 알지 못한다고 말했습니다. 다만 주임님께서는 참 훌륭하고 정직한 사람이기 때문에, 도와 드리고 싶지만 어떻게 해야 할지 모른다고 했고, 높은 지위에 있는 사람들이 뒤를 좀 봐 주기를 바랄 뿐이라고 했습니다. 그런데

급사는 지금의 주임님 상태로는 어쩐지 신통한 결과가 나오지 않을 것 같다고 했습니다. 아버님, 이 곳에 오시면 자세한 것을 들어 보시고, 아버님의 친구분들의 힘을 빌려서 사건을 수습했으면 합니다.

편지를 다 읽고 난 아저씨는 눈물을 훔쳤다. 케이는 머리를 끄덕거렸으나, 얼마 동안 여러 가지 시끄러운 일로 에르나를 잊고 있었다.

"그래, 이 내용이 사실이냐?"

"네, 사실입니다."

"어떻게 그런 일이 있을 수 있니? 설마, 형사 소송은 아니겠지?"

"형사 소송입니다."

"아니, 그런 일을 당했는데 너는 여기서 이렇게 태연하게 앉아 있단 말이냐?"

아저씨는 흥분하여 소리를 질렀다.

케이는 피로한 듯이 말했다.

"걱정 마세요."

"어떻게 걱정을 안하겠니? 요제프, 너는 지금까지 우리 집안의 명예였어. 자, 어서 말해 봐. 뭣 때문에 그랬니? 물론 은행에 관한 일이겠지?"

"아뇨."

케이는 자리에서 일어났다.

"아저씨 목소리가 너무 커요. 급사들이 다 듣겠어요. 그건 불쾌한 일이에요. 차라리 밖에 나가서 이야기하실래요? 밖에 나가면 아저씨 질문에 뭐든지 대답할게요. 집안 사람들한테도 사정을 설명해야 한다는 것을 저도 잘 알고 있어요."

"그렇고말고. 옳은 말이다. 자 어서, 요제프. 밖으로 나가자."

"그 전에 해야 할 일이 있어요."

케이는 이렇게 말하고 전화로 급사를 불렀다. 급사는 곧 케이의 방으로 들어왔다. 케이는 책상 앞에 서서 여러 가지 서류를 들추면서, 자기가 없는 동안 오늘 안으로 처리해야 할 일들을 지시했다. 급사는 열중해서 케이의 말을 들었다. 아저씨는 방 안을 이리저리 걸어다니다가 그림 앞에서 발걸음을 멈추고,

"정말 알 수 없는 일이야."

하며 혼자서 중얼거렸다. 급사가 나가고 문이 닫히자마자 아저씨는 이렇게 말했다.

"급사가 나갔으니 이제 우리도 나가자. 자, 요제프. 솔직히 말해 봐. 어떤 소송이냐?"

"보통 재판소의 소송이 아닙니다."

"이런……."

두 사람은 거리로 통하는 현관 계단까지 걸어갔다. 수위가 귀를 기울이는 것 같아서, 케이는 더 이상 말을 하지 않았다. 케이의 팔을 붙잡고 걸어가던 아저씨도 더 묻지 않았다. 그들은 잠시 동안 아무 말도 하지 않고 앞으로 걸어갔다.

"그런데 대체 무슨 일이냐? 이런 일이 있기 전에 무슨 낌새라도 있었을 텐데, 왜 편지 한 통 없었니? 그랬다면 일이 이렇게 커지지는 않았을 텐데. 너도 알다시피 나는 너를 위해서라면 무슨 일이든 했잖니? 사실, 지금도 너의 후견인이라고 할 수 있고. 나도 오늘날까지 그것을 자랑으로 삼았단다. 하여튼 여기서 얼마 동안 휴가를 받아서 시골로 가는 게 어떨까? 저런, 이제 보니 네 얼굴이 많이 상했구나. 시골로 가서 기운을 차리는 게 좋을 거야. 그렇게 해라. 시골로 가면 재

판소에서도 기껏해야 기관에 있는 사람들을 보내거나, 그저 편지나 전보, 전화로 너한테 간섭을 하겠지. 그렇게 되면 너를 완전히 구할 수는 없어도, 한숨 돌릴 수 있지 않겠니?"

"여기서 떠나지 못하게 할 수도 있어요."

"그 정도까지야 하려고? 네가 시골로 갔다고 해서 권력 있는 사람들에게 무슨 지장이라도 있겠니? 요제프, 넌 소송에 져도 좋으냐? 그렇게 되면 식구와 친척들까지 모두 수치를 당하는 거야. 요제프, 정신 차려! 난 너의 그 느긋한 태도를 도무지 이해할 수 없구나."

"아저씨, 흥분하지 마세요. 흥분한다고 소송에서 이기는 건 아니에요. 소송 때문에 식구들한테 괴로움을 줄 거라고 아저씨가 말씀하셨으니, 무슨 일이든 저는 달게 받겠습니다. 그러나 시골에 가라는 말씀은 하지 마십시오. 그 생각이 저에게 그다지 도움이 될 것 같진 않습니다. 제가 시골로 가면 사람들은 오히려 제가 도망을 쳤다고 생각할 테고, 저 스스로 죄를 인정하는 셈이 되니까요. 그리고 여기 있으면 그들이 저를 귀찮게 따라다니겠지만, 저는 저대로 그 사건을 처리할 수 있을 거예요."

"그건 그렇지."

아저씨는 그 때서야 케이와 생각이 통하는 듯한 말투로 말했다.

"아저씨, 우선 제가 뭘 해야 한다고 생각하세요?"

"사건을 좀더 충분히 지켜봐야지. 나는 이십 년 동안이나 시골에 파묻혀 살아서, 이런 일에 대해서는 어떻게 해야 할지 잘 모른단다. 그러니 이 곳 사정에 좀더 밝은 사람들을 만나야겠지."

아저씨는 이렇게 말하고 갑자기 자동차 한 대를 부르더니, 케이를 차 안으로 끌어들였다.

"홀트 변호사한테 가 주시오."

기사에게 이렇게 말하고는 케이에게 말했다.

"그 사람은 내 동창이야. 가난한 사람을 변호하는 변호사로 유명하단다. 하지만 나는 그 사람을 무엇보다, 인간적으로 믿음직스럽게 여긴단다."

"뭘 말씀하시려는지 알겠습니다. 아저씨가 하시는 일이라면 뭐든지 따르겠어요. 그러니 원하시는 대로 하세요."

케이는 이렇게 말했지만, 사실은 사건을 서둘러 처리하는 것에 대해 기분이 상했다.

"이런 사건에 변호사까지 선임하리라고는 생각도 못했어요."

"당연한 일이야. 그런데 내가 사건을 잘 이해할 수 있도록, 네가 저지른 일을 좀 말해 다오."

케이는 조금도 숨기지 않고 곧 이야기를 시작했다. 솔직한 케이의 태도는 어디까지나 소송이 대단한 수치거리라는 아저씨의 의견에 대한 반항이기도 했다. 차는 어느 컴컴한 집 앞에 섰다. 아저씨는 벨을 누르고 이를 드러내고 웃으며 이렇게 속삭였다.

"여덟 시구나. 소송 문제로 찾아오기엔 너무 늦었지? 홀트가 기분이 나쁘지 않았으면 좋겠구나."

그 때 문에 달린 자그마한 창구멍으로 두 개의 커다란 눈동자가 나타나, 아저씨와 케이를 빤히 바라보더니 자취를 감추었다.

"새로 들어온 하녀인가보다."

아저씨는 이렇게 말하고 다시 한 번 문을 두들겼다. 또다시 누군가가 모습을 나타냈다.

"문 열어!"

아저씨는 소리를 지르며 주먹으로 문을 두들겼다.

"난 변호사의 친구다."

"변호사님은 편찮으신데요."
하는 말소리가 문 뒤에서 들렸다. 오랫동안 문 앞에서 기다리느라 화가 난 아저씨는 이렇게 외쳤다.

"아프다고? 그 친구가 아프단 말이지?"

그러더니 문을 확 밀어젖혔다. 문은 이미 열려 있었는지 그대로 열렸다. 아저씨는 집 안으로 들어갔다. 집 안에 있던 남자는 변호사의 방문을 가리키더니, 잠옷 깃을 여미며 자취를 감추고 말았다. 변호사의 방문은 열려 있었다. 기다랗고 하얀 앞치마를 입은 젊은 처녀가, 촛불을 들고 응접실에 서 있었다.

"다음에는 문을 좀 빨리 열어 주시오."

아저씨가 이렇게 말하자, 그 처녀는 무릎을 조금 굽히며 인사를 했다. 아저씨가 변호사 방으로 발길을 옮기자 그 처녀는,

"변호사님은 편찮으십니다."
라고 말했다. 케이는 그 때까지 멍청하게 그 처녀를 바라보고 있었다. 그 여자는 인형 같이 동그란 얼굴을 하고 있었다.

"심장병인가?"

"아마, 그런 것 같아요."

처녀는 이렇게 말하고는 촛불을 들고 앞장섰다. 그 때까지 촛불 빛을 받지 못한 방 한쪽의 구석 침대에서, 수염이 꺼칠한 얼굴이 나타났다.

"레니, 누가 왔나?"

촛불에 눈이 부신지, 변호사는 찾아온 손님이 누군지 모르고 이렇게 물었다.

"아, 알버트!"
하고 변호사는 말하더니 체면을 차리지도 않고, 이불에서 벌떡 일어났다.

"자네, 정말 몸이 많이 아픈가?"
아저씨는 이렇게 말하고 침대에 걸터앉았다.
"또 심장병이군? 전에도 그랬듯이 이번에도 곧 나을 거야. 그렇지?"
"글쎄."
하고 변호사가 나직이 말했다.
"이번에는 전보다 훨씬 나빠. 숨도 가쁘고 도무지 잠을 잘 수가 없어. 날로 더 나빠지는 것 같아."
"그래, 몸조리는 제대로 했나? 이 방은 너무 어둡고 침침해. 여기 온 지가 벌써 오래되었지만, 그 때는 방 분위기가 이렇지 않았어. 밝고 쾌적했지. 간호사도 어쩐지 아파 보이는군."
그 여자는 그 때까지도 촛불을 들고, 문 옆에 서 있었다. 그 여자의 불안한 시선으로 보아 아저씨가 자기에 대한 이야기를 하고 있다는 것을 알고 있는 듯했다. 그 여자는 자기 옆에 있는 의자에 기대어 있는 케이를 바라보고 있었다.
"나 같이 몸이 좋지 않으면 안정이 필요해. 레니는 나를 잘 간호해 주니까, 난 조금도 불편함을 못 느끼지."

그러나 아저씨는 그 말을 그대로 받아들이지 않는 것 같았다. 아저씨는 간호사가 침대로 가서 자그마한 책상 위에 촛불을 놓고, 환자 위에 몸을 굽히고는 이불을 바로 하는 것을 냉정한 눈빛으로 바라보았다. 케이는 매우 태연하게 이들의 모습을 보았다. 아저씨가,
"이봐, 잠시 나가 있었으면 좋겠군……. 친구하고 개인적으로 할 이야기가 있는데."
하고 말했다. 하지만 이 말은 여자를 모욕하려고 일부러 한 말이었다.
"보시다시피 이렇게 몸이 불편하시니 말씀을 하시기 어렵습니다."

하고 여자가 말했다.
"뭐라고?"
흥분한 아저씨의 목소리가 몹시 떨렸다. 케이는 아저씨를 말리려고 아저씨한테로 달려갔다. 그 때 변호사가 일어나 몸을 일으켰다. 아저씨는 하는 수 없이 못마땅한 얼굴로 이렇게 말했다.
"내가 친구한테 불가능한 것을 요구하겠소? 자, 아가씨. 그만 좀 나가 줄 수 없을까?"
그러자 변호사가 말했다.
"레니 앞에서 못할 말이 뭐야?"
변호사는 레니가 나가는 것을 원하지 않는 듯했다.
"이봐, 친구. 내 문제가 아니란 말이야."
"그럼 대체 누구 일이지?"
"내 조카 일이야. 그래서 조카를 데리고 왔어."
아저씨는 나를 가리키며,
"업무 주임, 요제프 케이."
라고 소개했다. 변호사는 케이에게 손을 내밀었다.
"미안합니다. 당신이 온 걸 생각하지 못했군요. 레니, 어서 나가요."
변호사는 이렇게 말하고, 오랫동안 작별이라도 하듯이 레니한테 손을 내밀었다. 레니가 나가자 아저씨는 기분이 풀어져서, 변호사에게 가까이 다가갔다. 변호사는 아저씨에게 말했다.
"자네는 문병을 온 게 아니라, 일 때문에 나를 찾아온 거로군."
병문안이 아닌 일 문제로 자기를 찾아왔다는 생각에, 변호사의 얼굴은 활기차 보였다. 아저씨는 변호사에게,
"저 여자가 문 밖에서 분명히 엿들을 거야!"
하고는 문으로 달려갔다. 하지만 문 뒤에는 아무도 없었다.

"자네는 레니를 오해하고 있어."

변호사는 이렇게 말했지만, 더 이상 레니를 두둔하려고 하지 않았다.

"자네 조카의 일을 해결할 기운이 있다면 나로서도 행복한 일이지. 하지만 그만한 힘이 있을지 걱정이야. 하지만 무슨 일인지도 모르고 그냥 내던지고 싶지는 않아. 만일 내 힘으로 부족하다면, 내가 아는 사람들한테라도 부탁할 수 있어. 이번 일은 아주 특이하거든. 이런 변호를 내가 맡지 못한다면 정말 서운한 일이지. 만일 내 심장이 변호하는 일을 감당할 수 없다면, 이번 기회에 변호사 일을 집어치워야겠어."

케이는 변호사의 이야기를 도무지 이해하지 못했다. 그는 아저씨가 자기 일을 변호사에게 미리 말해 둔 것이 아닐까 생각했다.

"제 사건을 아십니까?"

"아, 그거요? 저는 변호사입니다. 그래서 재판소 사람들과 교제도 있습니다. 특히 눈에 띄는 소송에 대해서 더 잘 듣게 되지요. 무엇보다 내 친구의 조카에 대한 일이라서 뚜렷이 기억하고 있었습니다."

"재판소 사람들과 교제를 하신다고요?"

"예, 그렇습니다. 자기와 같은 일을 하는 사람들의 이야기를 아무래도 자주 듣지요."

변호사는 자랑스럽게 말을 이었다.

"저는 교제를 통해서, 변호를 의뢰하는 사람들에 대한 이로운 점을 알아 낼 수 있습니다. 자리에 이렇게 누워 있긴 합니다만, 재판소의 친한 친구들이 문병을 왔기에 몇 가지 사실을 알게 되었습니다. 어쩌면 하루 종일 재판소에 있는 사람들보다, 더 많은 사실을 알고 있는지도 모릅니다. 이를테면, 지금도 반가운 손님이 여기에 와 있답니다."

변호사는 이렇게 말하고, 컴컴한 방 한구석을 가리켰다. 케이는 무슨 말인지 몰라서 당황했다. 그러고는 변호사가 가리키는 방향을 바라보았다. 희미한 촛불 빛이 그 구석까지 밝히지는 못했다. 하지만 어둠 속에서 뭔가가 움직이는 것 같았다. 그 때 아저씨가 그쪽으로 촛불을 비추었다. 어떤 중년 신사가 조그만 책상에 앉아 있었다. 그는 자기한테 주의가 쏠린 것에 대해 불만을 드러냈다. 그가 무거운 몸을 일으키자, 변호사는 가까이 오라고 손짓을 했다. 그는 체면을 차리면서 가까이 다가왔다.

"사무국장님, 아직 소개를 못했군요. 이 분은 제 친구인 알버트 케이 씨, 여기는 조카분이신 요제프 케이 씨입니다. 사무국장님은 바쁘신 와중에도 여기까지 찾아와 주셨습니다. 난 사무국장님과 조용히 이야기하고 싶었어. 그런데 자네가 주먹으로 문을 두들기지 않겠나. 그래서 사무국장님이 책상과 의자를 들고, 구석으로 자리를 옮긴 거라네. 그러나 결국 이렇게 만나게 되었으니, 이 사건에 대해 함께 이야기했으면 하네. 그러면 서로 가까워질 수도 있을 거고. 그렇지요, 사무국장님?”

변호사는 비굴한 웃음을 지으며 이렇게 말했다.

“죄송합니다만, 이렇게 오래 앉아 있을 수는 없습니다.”

그러더니 사무국장은 시계를 보았다.

“일이 너무 밀려서.”

아저씨는 사무국장에게 너털웃음을 지으며, 그의 비위를 맞추려고 노력했다. 사무국장은 재빠르게 화제를 이끌어 갔다. 케이는 어쩐지 사무국장에게 무시를 당하는 것 같았다. 그는 이 늙은 신사들이 나누는 대화에 그저 귀를 기울이고 있을 뿐, 이들이 주고받는 대화가 무슨 이야기인지 잘 몰랐다.

케이는 사무국장이라는 사람을 전에 어디선가 본 적이 없는지, 혹시 그가 첫 신문을 당했던 장소에 있지 않았는지를 곰곰이 생각했다. 잘못 보았는지는 모르겠지만, 사무국장은 첫 신문을 받을 때 맨 앞줄에 서 있던 사람 같았다. 그 때 응접실에서 접시가 깨지는 소리가 들렸다. 이야기를 나누던 사람들은 모두 귀를 기울였다.

“무슨 일인지 제가 나가 보겠습니다.”

케이는 문 밖으로 나갔다. 응접실로 가서 어둠 속에서 방향을 잡으려고 하는 순간, 누군가가 케이의 손을 잡더니 조용히 문을 닫았다. 그 사람은 레니였다.

“아무 일도 아닙니다. 당신을 이 곳으로 나오게 하려고, 제가 일부러 접시를 벽에다 던졌습니다.”

“저도 당신일 거라고 생각했습니다.”

라고 케이는 어물어물 말했다. 레니는,

"이리 오세요."

하고 말하며 케이를 어디론가 데리고 갔다.

"자, 들어오세요."

그 곳은 틀림없이 변호사의 연구실이었다. 가난한 사람들을 변호한다는 이 연구실에 의뢰인들이 들어오면 정신을 차리지 못할 것 같았다. 천장이 높고 커다란 이 방은, 어쩐지 가난한 사람들을 변호하는 사람의 방 같지 않았다.

"제가 당신을 부르지 않아도, 당신이 나를 찾아올 거라고 생각했어요."

여자는 계속 말을 이었다.

"당신은 왜 나를 처음 보자마자 그렇게 뚫어지게 쳐다보셨나요? 그래 놓고선 나를 이렇게 기다리게 하시다니. 앞으로 저를 레니라고 불러 주세요, 네?"

이 여자는 잠시라도 말을 하지 않고는 견딜 수 없는 것 같았다.

"어른들이 하시는 이야기를 들어야 했기에 나올 수 없었습니다. 그리고 저는 원래 수줍음이 많습니다. 레니 양, 당신이 이렇게 저를 좋아해 주시리라고는 생각하지도 못했습니다."

레니는 팔을 의자에 걸치고 케이를 바라보았다.

"그런데 당신은 내가 그다지 마음에 들지 않았지요?"

"뭐, 아주 마음에 드는 건 아닙니다."

하고 케이는 대답을 회피했다.

"어머나!"

하고 여자가 말했지만, 그 목소리에는 우쭐함이 섞여 있었다. 어두컴컴한 방이 눈에 익어 가면서, 방 안의 자잘한 부분까지 보였다. 그 중에서도 판사복을 입은 어떤 남자를 그린 그림이 눈에 띄었다.

"아마, 저건 재판관인 모양이지요?"

케이는 이렇게 말하고 손가락으로 그림을 가리켰다.

"저 사람은 저도 알아요."

레니는 그 그림을 쳐다보며 말했다.

"그는 가끔 여길 와요. 이 그림은 그 사람이 젊었을 때 그린 거래요. 하지만 그 사람은 이 그림과 전혀 닮지 않았어요. 그 사람은 몸집이 작은데, 이 그림에서는 아주 크게 그려져 있답니다. 그건 그렇고, 저는 저 자신에 대해선 어느 정도 자부심을 느끼고 있는데, 당신은 내가 마음에 들지 않는다고 하니 좀 섭섭합니다."

레니의 말이 끝나자마자, 케이는 레니를 와락 끌어안았다. 레니는 조용히 케이의 가슴에 머리를 기댔다.

"저 사람은 어떤 사람이지?"

"예심 판사예요."

"겨우 예심 판사야?"

하고 케이가 실망한 듯이 말했다.

"그런데 당신은 당신 소송에 관한 문제가 머리에서 떠나지 않나 봐요?"

"나보다도 다른 사람들이 너무 걱정해서 탈이지."

"그건 당신 잘못이 아니에요. 들어 보니 당신은 무척 고집쟁이라고 하던데요?"

"누가 그래?"

"그건 말할 수가 없지요. 하지만 앞으로는 너무 고집을 부리지 마세요. 결국 당신은 당신 죄를 고백해야 하니까요. 다음번에는 솔직하게 말하세요. 그래야만 빠져 나갈 구멍이 생겨요. 그러나 그렇게 하더라도 남의 도움은 필요해요. 하지만 걱정 마세요. 제가 도와 드릴게요."
"당신은 재판을 할 때 필요한 수단들을 잘 알고 있군."
케이는 이렇게 말하며 레니를 무릎 위에 앉혔다. 레니는 두 손으로 케이의 목에 매달려 몸을 축 늘어뜨리고, 오랫동안 케이를 쳐다보았다.
"내가 솔직하지 않으면 나를 도울 수 없다는 건가?"
하고 케이는 슬며시 물어 보았다. 그리고 속으로 어째서 여자들이 자기를 도우려고 이렇게 달려들까를 생각했다. 우선 뷔르스트너 양, 다음에는 재판소에서 청소하는 여자, 이번에는 간호사까지.
"솔직하게 말해야 해요. 그렇지 않으면 나는 당신을 도울 수 없어요."
그렇게 말하고 레니는 잠시 후 이렇게 말했다.
"당신은 좋아하는 사람이 있지요?"
"아니."
"있잖아요?"
"그러고 보니 벌써 헤어졌어. 하지만 아직도 사진은 갖고 다니지."
케이는 레니가 하도 조르는 바람에, 엘자의 사진을 보여 주었다. 그것은 엘자가 술집에서 추는 원무가 끝난 다음에 찍은 사진이었다. 레니는 엘자의 사진을 유심히 들여다보았다.
"치마의 허리를 무척 동였군요. 이런 여자는 싫어요. 쌀쌀맞고 사납기 일쑤지요. 하지만 당신한테는 아마도 싹싹하고 친절했겠지요. 사진을 보면 알 수 있어요. 당신을 위해서는 몸을 바칠 수도 있는 여자 같아요."
"아니, 그렇지 않아. 게다가 나는 이 여자 사진을 지금처럼 이렇게 자세히 본 적도 없어."
"그럼, 당신의 애인이 아니군요."
"그래도 이 여자는 레니보다 더 큰 장점이 있어. 우선 내 소송 문제에 대해 아무것도 몰라. 안다고 하더라도 레니처럼 이 여자는 나한테 명령하진 않아."

"그게 무슨 장점이에요?"

하며 그녀는 아양을 떨었다. 케이는 여자의 손에 살짝 키스했다. 레니도 케이를 안으며 케이의 목에 키스를 했다.

"당신은 이제 제 것이에요. 자, 여기 열쇠가 있으니 내가 보고 싶으면 언제든지 오세요."

이것이 레니의 마지막 말이었다. 케이는 방을 나섰다.

현관을 나섰을 때 비가 부슬부슬 내리고 있었다. 그 때 집 앞에 서 있던 자동차 안에서 아저씨가 뛰어나왔다. 그러고는 케이의 팔을 붙잡더니 버럭 소리를 질렀다.

"이 자식아! 이게 무슨 꼴이냐. 잘 풀려 가던 참에 네놈이 다 망쳐 놓았어. 그래, 그 보잘것없는 여자한테 기어 들어가다니. 그년은 변호사의 정부일 텐데. 미쳤어, 미쳤어! 그래, 한 시간 이상이나 그 여자랑 뭘 했니? 우린 너를 어떻게 구할까를 의논하고 있었는데……. 정작 너는 여자한테 정신을 팔고 있다니. 아마, 내 친구 변호사가 가장 기분이 나빴을 거다. 내가 인사했을 때, 말을 전혀 하지 못하더라. 에잇! 이게 무슨 꼴이냐!"

변호사, 공장 주인, 화가

어느 겨울날 오전, 눈이 내리고 있었다. 아직 시간이 일렀지만, 벌써 케이는 지쳐 있었다. 케이는 급사에게 중요한 일을 하고 있으니, 아무도 들여보내지 말라고 당부했다. 케이는 일을 하는 것이 아니라, 그냥 책상에 머리를 숙인 채 꼼짝도 하지 않고 앉아 있었다. 소송에 대한 생각이 머리에서 떠나지 않았다. 그는 변론 서류를 작성해서 재판소에 내볼까 하고 생각했다.

하지만 케이는 그 변호사의 생각이 어떤지 전혀 알 수가 없었다. 한 달 동안이나 변호사는 케이를 부르지 않았다. 그 전에 만났을 때도, 그에게는 케이를 돌봐 줄 능력이 없어 보였다. 무엇보다 그는 사건에 대해 케이에게 물어 본 적이 없었다. 언젠가 케이는 변호사를 만난 적이 있었다. 케이가 레니와 같이 있던 바로 그 방에서.

변호사는 케이가 당한 사건과 비슷한 사건에서 이겼다고 자랑을 했다. 그는 자기가 갖고 있는 풍부한 경험이, 케이한테 도움이 될 거라고 말했다.

"저는 모든 절차를 밟기 시작했습니다. 진정서도 거의 만들어 놓았지요. 사실 처음으로 재판소에 넣은 진정 서류는 유감스럽지만, 재판소에서 거들떠보지도 않는 일이 많습니다. 본다고 해도 전혀 읽지 않습니다. 재판 수속은 필요하다고 생각할 때만 공개할 수가 있지만, 당신이 필요하다고 해서 보여 주지는 않습니다. 재판소 사람들은 솔직히 변호사를 무시합니다. 재판소에서 변호사들이 쓰는 사무실만 봐도 알 수 있습니다. 그렇다고 자비로 사무실을 수리할 수도 없지요. 금지되어 있으니까요. 이것은 될 수 있는 대로 변호사를 없애려고 하는 의도입니다. 하지만 이 재판소에서 변호사만큼 필요한 존재도 없답니다. 재판 수속은 일반인들에게 비밀로 되어 있고, 피고에게도 비밀입니다. 다시 말하면 소송 관계자도 재판소의 문서를 보지 못합니다. 바로 여기에 변호사가 할 일이 있는 겁니다. 원칙상 신문할 때 변호인이 입회할 수 없으며, 신문이 끝난 다음에야 피고한테서 신문에 대한 내용을 듣습니다. 이 때 변호사는 변호에 도움이 될 만한 사항들을 알아 둡니다. 가장 중요한 일은 변호사의 인간적인 관계입니다. 당신도 잘 알겠지만, 재판소의 하급 관리가 매수당하는 일이 종종 있습니다. 그래서 재판소에서도 엄중하게 함구령을 내리지만, 구멍이 생기게 마련입니다. 변호사는 바로 그걸 이용하는 거지요. 하지만 가장 좋은 방법은 높은 사람들과 관계를 맺는 겁니다. 물론 고관들과 관계를 맺을 수 있는 변호사는 극히 드물지요. 그런 점에서 볼 때 당신은 매우 유리합니다. 왜냐하면 나는 높은 사람들을 많이 알고 있으니까요. 당신도 알다시피, 높은 관리들이 우리 집에 찾아와서 정보를 제공해 준답니다. 그리고 앞으로 있을 소송에 대해서도 이야기해 주지요."

이런 이야기를 시작하면 변호사는 그야말로 한이 없었다. 찾아갈 때마다 변호사는 자기 자랑만 늘어놓았다. 그러면서도 케이의 사건이 어느 정도 진전되었는지를 알려 준 적이 없었다. 언제나 지루하게 되풀이되는 이런 이야기를 중단시켜 주는 사람은 레니였다.

경우가 밝은 레니는 케이가 오면 언제나 변호사한테 홍차를 갖다 주었다. 그런 다음, 변호사가 차를 따라 마시는 것을 보면서, 케이에게 손을 내밀었다. 그러면 케이도 변호사의 눈을 피해 슬며시 레니의 손을 잡았다.

"아직도 여기 있었나?"

변호사가 물었다.

"예, 잔을 치우려고 기다리고 있었어요."

레니는 이렇게 말하고 다시 케이의 손을 쥐었다. 그러면 변호사는 입을 닦고, 새로운 기분으로 이야기를 시작했다.

소송이 시작된 지 몇 개월이 지났지만, 첫 번째 변론 서류는 아직 수리되지 않았다. 변호사의 말에 따르면, 겨우 일이 시작되었다는 것을 알 수 있었다. 어쩔 수 없이 케이는 자기가 직접 나서야겠다고 생각 했다.

눈 오는 오후 내내 케이는 소송에 관해 생각했다. 그래도 다행인 것은 은행에서 짧은 시간 내에 높은 지위에 올랐기 때문에 그는 누구에게나 인정을 받았다. 덕분에 소송 문제에 대해 신경을 써도, 그다지 문제될 것은 없어 보였다.

케이는 변호사의 변호는 될 수 있는 대로 빨리 그만두고 싶었다. 그러나 변호사를 찾아가 변론을 취소한다는 것은, 그 사람을 모욕하는 일이었다. 더구나 변호사는 아저씨의 친구가 아닌가. 그럼에도 케이는 변론 서류를 직접 꾸며야겠다고 생각했다. 케이는 사무실에서 그럴 시간적 여유가 없으면, 집에 돌아가서라도 그 일을 해야겠다고 생각했다. 밤 시간으로도 부족하면 휴가라도 내야겠다고 생각했다. 그러나 변론 서류를 쓴다는 것은 그리 간단한 일이 아니었다.

케이가 이런 생각을 하느라 우울해졌을 때, 그는 거의 무의식적으로 응접실로 통하는 벨을 눌렀다. 그런 다음 시계를 쳐다보았다. 열한 시였다. 그 때 한참이나 그를 기다리고 있던 손님 두 사람이 안으로 들어왔다. 케이는 그들을 맞이하려고 자리에서 일어났다.

첫손님은 키가 작은 쾌활한 신사로 케이가 잘 아는 공장 주인이었다. 바쁘신데 죄송하다고, 공장 주인이 먼저 인사를 했다. 그러자 케이도 너무 오래 기다리게 해서 죄송하다고 말했다. 그 남자는 호주머니에서 예산서와 일람표를 꺼내 케이에게 보여 주면서, 일 년 전에 계약을 맺은 사업 이야기를 했다. 그리고 다른 은행에서도 이 사업에 대해, 긍정적인 대출 조건을 보여 주고 있다고 말하고는 케이의 의견을 기다렸다. 케이는 머리를 숙이고 연필로 천천히 서류를 더듬으며 숫자를 뚫어지게 쳐다보았다. 공장 주인은 케이에게 바싹 다가서며, 다시 사업에 대해 설명하기 시작했다.

"힘들겠는데요."

하고 케이가 말했을 때, 지점장실 문이 열리며 지점장 대리가 나타났다. 공장 주인은 곧 의자에서 일어나 지점장 대리한테로 달려갔다. 두 사람은 서로 악수를 하더니, 케이의 자리로 걸어왔다. 공장 주인은 케이가 이 일에 대해 성의를 보이지 않는다고 불평을 했다. 지점장 대리는 힐끗 서류를 쳐다보더니 무슨 내용인지 읽어 보지도 않고, 케이 손에 있는 서류를 빼앗았다. 그러고는 서류를 책상 위에 올려놓았다.

공장 주인은 지점장 대리에게 그의 방으로 가서 이야기의 결말을 짓자고 했다. 공장 주인은 문 쪽으로 걸어가다가, 돌아서서 이렇게 말했다.

"이 일의 결과는 나중에 제가 말씀드리겠습니다. 그리고 전할 얘기도 있고요."

마침내 케이는 혼자 남았다. 아무도 만날 생각이 없었다. 밖에는 아직도 사람들이 케이를 기다리고 있었다. 케이는 창가에 가서 광장을 바라보았다. 아직도 눈이 내리고 있었다. 케이는 오랫동안 그렇게 서 있었다. 도대체 무엇 때문에 마음이 괴로운지 알 수 없었다. 케이는 세면대로 가서 찬물에 얼굴을 씻고, 다시 창문가로 돌아왔다. 그는 자기 힘으로 변호를 해 보겠다는 결심을 굳혔다. 변호를 자기가 맡게 된다면, 적어도 얼마 동안 재판소에 자주 가야 했다.

'변론 서류를 만들려면 휴가를 내면 되겠지. 하지만 지금 같아서는 대단한 용기를 내야만 해. 소송이 얼마나 걸릴지가 문제니까. 그렇게 하면서 은행에서 계속 일할 수 있을까?'

케이는 창문을 열려고 했지만 좀처럼 문이 열리지 않았다. 간신히 문을 열었을 때, 연기 섞인 안개가 사무실 안으로 흘러 들어오면서 무엇인가 타는 냄새가 났다. 눈송이도 간간히 날아들었다.

"날씨가 별로 안 좋죠?"

하고 케이의 등뒤에서 공장 주인이 말했다. 어느 새 공장 주인은 케이의 방 안에 들어와 있었다. 케이는 머리를 끄덕이며 불쾌한 표정으로 공장 주인이 들고 있는 서류 봉투를 바라보았다. 공장 주인은 그 속에서 서류를 꺼내, 지점장 대리와 이야기한 결과를 케이에게 알려 주려는 듯했다.

"이야기 좀 들어 보시겠어요? 계약은 다 된 거나 다름없어요."

그러나 케이는 공장 주인의 이야기를 주의 깊게 듣지 않았다.

"업무 주임님, 사람은 누구나 십자가를 져야 해요. 당신한테 말씀드릴 게 있는데……. 전에도 두 번이나 당신을 만나서 이야기하려고 했는데 번번이 잊었어요. 이젠 더 이상 미룰 수가 없습니다."

"무슨 이야기죠?"

"당신은 소송 문제에 걸렸다죠?"

"지점장 대리가 그런 말을 했나요?"

케이는 화를 내며 이렇게 말했다.

"아니오. 지점장 대리가 어떻게 그걸 알겠어요? 재판소 일이라면 여기저기서 들을 수 있으니까요."

"별별 사람이 재판소와 관계가 있군."

케이는 이렇게 말하며 공장 주인을 테이블로 안내했다. 자리에 앉자, 공장 주인이 말했다.

"제가 도와 드린다고 해 봤자 대단하지는 않겠지만, 당신을 어쨌든 도와 드리고 싶습니다. 우리는 지금까지 사업상 가까이 지내왔으니까요. 그렇지 않습니까?"

케이는 조금 전의 자기 태도에 대해 사과하려고 했지만, 그는 좀처럼 기회를 주지 않고 자기 이야기만 계속했다.

"당신 일은 티토렐리라는 가명을 쓰는 남자한테서 들었습니다. 그 사

람은 화가입니다. 몇 해 전부터 가끔 제 사무실에 조그만 그림을 들고 와서 구걸을 하곤 했답니다. 언제나 저는 동정을 베풀었지요. 그런데 한 번은 너무나 귀찮게 찾아오기에 싫은 내색을 보였습니다. 그랬더니 그가 자기 이야기를 들려주더군요. 자기는 본래 재판소에서 초상화를 그려서 먹고 산다고 말입니다. 그러더니 재판소 일을 늘어놓더군요. 그 후부터 그 사람은 우리 사무실에 찾아오면, 재판소에서 일어난 새 소식을 알려 주었습니다. 나는 티토렐리가 당신한테 도움을 줄 수 있을 거라고 생각합니다. 그는 재판관을 많이 알고 있으니까요. 비록 자기는 힘이 없더라도 어떻게 하면, 그 사람들과 가까이 할 수 있는지는 알 겁니다. 저는 언제나 케이 주임님은 변호사나 다름없는 분이라고 말했어요. 어떻습니까? 티토렐리한테 한 번 가 보시는 게. 하긴, 케이 주임님은 주임님대로 계획이 충분히 있겠지만요. 사실 그런 남자의 이야기를 듣는다는 것도 좀 창피한 일이니까……. 아무튼 소신대로 하십시오. 여기 소개장과 주소가 있으니, 마음이 내키시면 찾아가 보십시오."

케이는 잠시 망설이다가 그 종이를 받아 호주머니에 넣고, 공장 주인에게 간단한 인사만 했다.

"네, 한 번 가 보겠습니다. 그렇지 않으면 제가 오늘은 바쁘니까, 그 사람더러 언제 저의 사무실로 오라고 편지를 보내든지요."

"글쎄요, 티토렐리 같은 사람을 은행으로 부르는 것은 좋지 않을 것 같습니다. 그러나 업무 주임님께서 이 문제를 충분히 생각하시고 잘 처리하리라고 믿습니다."

공장 주인이 나가자 급사가 케이한테 달려와서는, 응접실에 손님 세 사람이 기다리고 있다고 알려 주었다. 그 사람들은 케이를 만나려고 오랫동안 기다리고 있었다. 케이가 급사와 이야기를 나누자, 그 사람들은 기회를 놓치지 않으려고 케이에게로 다가왔다.

"주임님."

하고 그들 중 어떤 남자가 말했다. 그러나 케이는 급사가 가져다 준 외투를 걸치고는, 세 사람에게 이렇게 말했다.

"죄송합니다, 여러분. 미안하지만 지금은 시간이 없습니다. 급한 일이 있어서 지금 곧 나가 봐야 합니다. 내일이나 그렇지 않으면, 다른 날 한 번 오십시오. 전화로 미리 연락하시든지."

케이를 기다리던 사람들은 케이가 이렇게 말하자, 어리둥절해서 서로 얼굴만 바라보았다. 바로 그 때 지점장 대리가 나타났다. 지점장 대리는 손님과 이야기하고 있는 케이를 싱글거리며 바라보더니, 이렇게 물었다.

"벌써 나가십니까?"

"네."

하고 케이가 말했다. 그러자 손님들은 케이에게 오래 기다렸으니, 한 사람씩 상담을 좀 해 달라고 요청했다. 지점장 대리는 잠시 동안 손님들의 이야기를 듣고 나서 이렇게 말했다.

"여러분, 간단한 방법이 있습니다. 저라도 좋으시다면, 업무 주임을 대신해서 제가 여러분 말씀을 들어 드리겠습니다. 장사하는 사람들에게 시간이 얼마나 중요한지를 잘 아니까요. 자, 이리 들어오실까요?"

이렇게 말하고 지점장 대리는 문을 열었다.

케이는 은행을 나와 화가한테로 달려갔다. 그 화가는 재판소 사무실이 있는 쪽과는 전혀 반대 방향에 살고 있었다. 그 일대의 집들은 누추해 보이고, 도로는 눈이 녹아서 질퍽하고 더럽기 짝이 없었다. 화가가 살고 있는 집에는 커다란 문이 한 짝만 열려 있었고, 다른 쪽은 울타리 밑으로 구멍이 나 있었다. 케이는 화가를 만나 몇 마디 물어 보고 은행으로 돌아가려고 했다. 만일 그가 화가를 만나서 조금이라도 성과를 올린다면 다행일 것이다.

케이는 사층까지 올라가서 잠시 숨을 몰아쉬었다. 화가는 맨 위에 있는 다락방에 산다고 들었다. 케이가 잠시 발걸음을 멈추자, 어떤 방에서 어린 소녀 두서너 명이 뛰어나오더니, 깔깔거리며 계단으로 올라갔다. 케이는 소녀들 중 한 명에게 물었다.

"여기 티토렐리라는 화가가 살고 있니?"

그러자 열서너 살쯤 되어 보이는 등이 약간 굽은 곱추 소녀가 케이를 쿡 찔렀다. 그러고는 케이의 얼굴을 쳐다보았다. 나이가 어린 소녀였지만, 그 애는 어쩐지 타락해 보였다. 그 소녀는 매혹적인 시선으로 케이를 뚫어지게 쳐다보았다.

"티토렐리라는 화가를 아니?"

"무슨 일이 있나요?"

"내 얼굴을 그려 달라고 할까 해서."

"얼굴을요?"

소녀는 이렇게 말하고는 아무 말도 없이 계단을 올라갔다. 소녀들은 곱추 소녀를 따라 올라갔다. 케이는 계단을 올라가다가 층계참에서 소녀들을 다시 만났다. 아까 그 곱추 소녀가 나머지 소녀들의 대장 같았다. 곱추 소녀는 케이한테 티토렐리한테 가려면, 옆으로 통하는 계단으로 가야 한다고 말해 주었다.

케이가 소녀들과 같이 계단까지 올라갔을 때, 발소리가 시끄러웠던지 위에 있는 문이 약간 열리더니 잠옷만 입은 남자가 문틈으로 얼굴을 내밀고는 이내 사라졌다. 계단을 다 올라가기 전에 다시 문이 열렸다. 화가는 케이한테 인사를 한 뒤, 케이를 집 안으로 안내했다.

"화가 티토렐리입니다."

케이는 문 밖에서 히히덕거리는 소녀들을 가리키며,

"이 집에서 인기가 좋으신가 봐요?"

하고 말했다.

"장난이 얼마나 심한지 모릅니다. 저 애들 중에는 아, 오늘은 모습이 보이지 않는군요. 내가 초상화를 그려 준 애가 있답니다. 초상화를 그려 준 이후부터 이 곳 아이들이 어찌나 나를 따르는지, 귀찮을 정도지요. 한 번은 초상화를 그리려고 어떤 부인을 데리고 온 적이 있습니다. 그런데 저 녀석들이 제멋대로 방 안을 더럽혔지요. 물감으로 입술을 새빨갛게 칠하고서 말입니다. 제가 이 화실을 무료로 쓰니까 참고 있지, 만일 그렇지 않았다면 벌써 이사를 갔을 겁니다."

그 때 문 뒤에서 불안한 듯한 목소리가 들렸다.

"이제 들어가도 되나요?"

"안 돼!"

하고 화가가 말했다.

"저 혼자인데, 안 되나요?"

"그래도 안 돼."

하고 말하더니, 화가는 문을 자물쇠로 잠궈 버렸다. 케이는 그 동안 방 안을 둘러보았다. 비좁고 보잘것없는 이 방은 아무리 생각해도 화실이라고 할 수가 없었다. 케이는 화가가 자물쇠를 잠그는 동안 은행으로 빨리 돌아가야 한다고 생각했다. 그래서 그는 호주머니에 있는 공장 주인의 편지를 꺼내서 화가에게 보여 주었다.

"당신 친구한테서 당신 이야기를 들었습니다."

화가는 편지를 읽더니, 침대 위에 던졌다. 만일 그 광경을 보았다면 티토렐리가 공장 주인을 모르거나, 아니면 공장 주인이 잘 생각나지 않

는 것이라고 생각했을 것이다. 게다가 화가는 케이에게 이렇게 물었다.

"그림을 사시게요? 아니면 초상화를 부탁하시려고요?"

케이는 깜짝 놀라 화가를 보았다.

'대체 이 편지에는 무엇이 써 있길래 이런 소릴 하는 걸까?'

"지금 그림을 그리시는 중인가 봐요?"

"네, 그렇습니다. 초상화인데 아직 완성되지 않았어요."

그 그림은 어떤 재판관의 초상화였다. 다행히 케이는 그 그림을 보고 나서, 재판소에 대한 이야기를 할 수 있었다. 그 그림은 변호사 사무실에 있는 그림과 비슷했다. 한 사람이 권위 있게 의자에 앉아 있는 모습이었다.

'저 사람은 재판관인가요?'

하고 말하려다가 그림을 자세히 살펴보려고 그림 가까이로 갔다. 그 때

화가가,

"정의의 여신입니다."

라고 말했다.

"아, 알겠습니다. 이것이 눈을 가리는 천이고, 이것이 저울이군요. 정의는 동요해서는 안 됩니다. 그렇지 않으면, 저울이 흔들려 정당한 판결을 내릴 수 없으니까요."

"그건 상상으로 그린 겁니다."

"하여튼 이 사람은 재판관이지요?"

"고관은 아닙니다. 이런 의자에도 앉아 본 적이 없는 사람이지요."

"그런데 이렇게 당당한 모습을 그려 달라고 했습니까?"

"허영심이 강한 사람이니까요."

그림을 바라보고 있는 동안, 화가는 그림을 그리고 싶었던지 셔츠 소매를 걸어 올리고, 붓을 손에 들었다. 화가의 솜씨는 의외로 케이의 마음을 끌었다.

"이 재판관의 이름은 뭔가요?"

"말할 수 없는데요."

화가는 확실히 케이를 무시하고 있었다. 케이는 이런 화가를 상대로 시간을 보내는 것이 몹시 불쾌하게 여겨졌다.

"당신은 재판소의 고문이라고 들었습니다."

"이봐요, 당신은 재판소에 대해 알아 보려고 나한테 오신 거지요? 그래서 처음부터 그림 이야기를 해서 내 마음을 사려했던 거고요. 그러나 그런 수단에 넘어갈 제가 아닙니다. 물론 제가 재판소의 고문임에는 틀림없습니다만."

문 뒤에서 또 소녀들의 목소리가 들려왔다. 그들은 아마 열쇠 구멍 앞으로 몰려와서, 틈 사이로 방 안을 들여다보고 있는지도 모른다.

"그것은 공인된 자리인가요?"

"아니오. 공인되진 않았지만, 가끔 힘을 쓸 때도 있습니다. 어제 당신 사건에 대해 공장 주인과 이야기했습니다. 공장 주인이 당신을 도와줄 수 있냐고 묻기에, 한 번 와 보시라고 했습니다. 우선 외투나 벗으시지요."

화가가 이렇게 권하자 케이는 무척 반가웠다. 방 안 공기는 점점 탁해졌다.

"당신은 아무 죄가 없지요?"
하고 화가가 말했다.

"그렇습니다. 저는 정말 아무 죄도 없습니다."

"그렇다면 문제는 간단합니다."

"죄가 없다고 해서 문제가 간단할 것 같지는 않은데요? 이번 사건은 재판소에서 애를 쓰고 있는 여러 가지 사소한 일과 얽혀 있습니다. 처음에는 아무렇지 않은 죄도 결국은 커다란 죄가 되지요."
"맞습니다. 그런데 당신은 정말 죄가 없나요?"
"그럼요."
"바로 그것이 제일 큰 문제입니다. 이 캔버스에 재판관을 그려 놓고, 당신이 그 앞에 서서 변호를 하는 것이 실제로 재판소에 가는 것보다 더 좋은 결과를 가져올 겁니다."
그 때 문 뒤에서 다시 어떤 소녀의 목소리가 들렸다.
"아저씨, 손님이 아직 계시나요?"
화가는 문을 향해 소리쳤다.
"가만 있어!"
"손님과 이야기하는 것이 안 들리니?"
"초상화를 그려 주시나요?"
화가가 대답하지 않자, 소녀는 다시 물었다.
"보기 싫은 사람은 절대 그려 주지 마세요. 네?"
"계속 떠들면 계단 밑으로 차 버릴 거다. 좀 조용히 해!"
그제야 소녀는 조용해졌다. 그러자 화가가 케이에게 말했다.
"저 애들도 재판소와 관련이 있습니다."
"그럴 줄은 정말 몰랐습니다."
케이는 잠시 문 쪽을 바라보았다. 그러자 화가는 말을 계속했다.
"당신은 재판소를 너무 모릅니다. 법정에서 당신이 하는 말은 통하지 않습니다. 그러나 공식적인 재판소의 눈을 피해 회의실이나 복도, 혹은 화실 같은 데서 흥정을 하면 문제는 달라집니다."
화가의 이야기는 결코 터무니없어 보이지는 않았다. 어쩌면 희망을 가질 수도 있을 것 같았다. 변호사의 말대로 재판관은 개인적으로 연고를 맺으면 쉽게 다룰 수가 있었다. 그러니 화가가 재판관들과 관계가 있다는 사실은, 케이로서는 소홀히 할 수 없는 문제였다. 어쩌면 이 화가는 자기를 구원해 줄 수 있는 가장 적합한 사람 같았다.

"제가 법률가처럼 말하는 것이 이상하지요? 재판소 사람들과 항상 만나다보니 나도 모르게 이렇게 되었습니다. 물론 얻은 것도 많지만, 예술에 대한 정열은 거의 잃어버렸습니다. 재판관과의 인연은 재판소 화가였던 아버지한테 물려받았습니다. 이 직업은 대대로 이어가기 때문에 새로운 사람을 채용하지 않습니다. 저는 재판소에 대한 규칙들을 많이 알고 있기 때문에, 소송을 당하는 불쌍한 사람들을 도와주려는 겁니다."

"그런데 어떻게 도와주나요?"

케이는 자기는 불쌍한 사람이 아니라는 듯이 말했다. 그러나 화가는 상대방의 기분 따위는 염두에 두지 않고 이렇게 말했다.

"당신은 어떤 종류의 판결을 원하시나요? 세 가지 가능성이 있겠지요. 실제적인 무죄와 형식적인 무죄, 그리고 소송을 지연시키는 것 말입니다. 무죄라면 그보다 더 좋은 일은 없겠지요. 하지만 저는 그렇게 만들 힘은 없습니다. 또 어디에도 당신을 무죄로 만들어 줄 사람은 없을 거고요. 그리고 실제로 무죄 판결이 내려지는 것을, 나는 한 번도 본 적이 없습니다."

"그렇다면 실제적인 무죄 판결에 대한 이야기는 그만둡시다. 또다른 가능성에 대해 이야기해 주십시오."

"형식적인 무죄와 소송을 지연시키는 것 말씀이지요? 그런데 그 전에 옷을 벗으시지요, 덥지 않습니까?"

"그럴까요?"

케이는 화가의 이야기에 정신이 팔려 있어서, 자신이 땀을 흘리고 있는 것도 몰랐다.

"더위가 대단하네요. 창문을 열면 안 될까요?"

"창문이 열리지 않습니다."

그제서야 케이는 이 방이 공기가 전혀 통하지 않는다는 것을 알고, 눈앞이 아찔했다. 케이가 웃옷을 벗자, 어떤 소녀가 문 뒤에서 이렇게 외쳤다.

"윗도리를 벗었네요."

화가는 케이를 보고 웃으며 말했다.

"저 애는 당신이 모델인 줄 아나 봐요."

"그런데 두 가지 가능성을 이야기해 주세요."

"당신은 형식적인 무죄와 소송을 지연시키는 것 중 어느 쪽을 선택하시겠습니까? 형식적인 무죄는 일시적으로 힘을 써야 합니다. 하지만 소송을 지연하는 것은, 노력은 덜 들지만 계속해서 애를 써야 합니다. 우선 형식적인 무죄를 원하신다면, 당신이 무죄라는 증명서 한 장을 쓰겠습니다. 이런 증명서 쓰는 법은 아버지한테 배웠습니다. 증명서를 쓴 다음, 저는 제가 알고 있는 재판관들을 찾아다니겠습니다. 제가 초상화를 그려 주는 재판관이 다행히 오늘 저녁에 옵니다. 우선 그 분께 이 증명서를 보이겠습니다. 이것은 형식적인 보증이 아닙니다. 어디까지나 강력하고 실질적인 효력이 있습니다."

화가의 눈을 보니, 이런 일을 맡게 된 것이 귀찮다는 표정이 역력했다.

"정말 죄송합니다. 그런데 재판관이 당신을 믿으면서도, 저한테 무죄 판결을 내리지 않으면요?"

"재판관이 나를 전적으로 믿어 줄지는 모릅니다. 본인을 데리고 오라고 할지도 모르고요. 그러면 당신은 나와 함께 가 주셔야 합니다. 하지만 그렇게만 된다면 절반은 성공한 겁니다. 당신이 면접을 볼 때 주의할 사항은, 처음부터 호의적이지 않은 재판관은 그냥 깨끗이 단념하는 것이 좋습니다. 재판관 한 사람이 결정권을 쥐고 있는 것은 아니니까요. 다른 재판관들의 서명을 받으면, 그 때 당신 소송을 담당할 재판관을 찾아가겠습니다. 그렇게 되면 모든 일은 척척 진행되는 겁니다."

"그러면 저는 석방이 되는 거군요?"

"그렇습니다. 그러나 이것은 어디까지나 형식적인 무죄일 뿐입니다. 제가 알고 있는 관리는 하위 관리이기 때문에, 최후의 판결을 내릴 만한 힘은 없습니다. 그런 권력은 당신이나 나나 가까이할 수 없는 최고 재판관만이 할 수 있습니다. 하여튼 우리 재판관은 기소된 사람을 석방할 권리는 없지만, 일시적으로 놓아 줄 권리가 있습니다. 말하자면 이렇게 무죄 판결을 받아서 얼마 동안 기소를 면하는 겁니다. 저는 재판소와 충분한 연락이 있어서 자신 있게 말씀 드리지만, 재판소 규정에 나타난 실질적인 무죄와 형식적인 무죄 판결에는 차이가 있습니다. 사실 당신에게 아무 죄가 없다면 소송 문서는 완전히 기각되고, 수속도 밟을 필요가 없습니다. 그래서 소송이나 무죄 판결까지도 모두 취소됩니다. 하지만 형식적인 무죄 판결은 사정이 좀 다릅니다. 그 경우 재판 수속 중에도 재판소 사무실 간의 끊임없는 업무 교섭이 필요하기 때문에 서류들이 상부에서 하부로 왔다갔다합니다. 그러다가 뜻밖에도 어떤 재판관이 그 서류를 들여다보고, 아직도 공소가 유효하다는 사실을 알게 됩니다. 그래서 무죄로 석방된 사람이 재판소에서 집으로 돌아오자마자, 다시 체포되기도 합니다."

"그러면 다시 소송이 시작되나요?"

"물론입니다. 다시 무죄가 되면 또 체포하고, 다시 무죄가 되면 또다시 체포하는 거지요. 형식적인 무죄 판결이 바로 이런 겁니다."

"그렇다면 별로 도움이 되는 것도 아니네요."

"그렇지요. 소송을 지연시키는 것이 더 나을 수도 있지요. 설명해 드릴까요?"

케이는 고개를 끄덕였다.

"소송을 지연하는 것은 언제나 소송을 최저 단계에서 더 이상 진행되지 못하게 하는 겁니다. 그러기 위해서 피고는 도움을 주는 사람이 끊임없이 재판소와 개인적인 연락을 가지도록 해야 합니다. 이 때는 형식적인 무죄보다 더 많은 노력이 필요하진 않지만, 담당 재판관을 찾아가서 호감을 산다든가 해서 심한 주의를 기울여야 합니다. 이런 점에 신경을 쓴다면, 소송은 다음 단계로 넘어가지 않습니다. 그러나 이것으로 소송이 끝나는 것은 아닙니다. 물론 이 지연 상황에는 형식적 무죄 판결에 비해 불안이 적습니다. 체포된다는 불쾌한 공포를 면할 수 있으니까요. 그러나 이 지연 상황에는 단점이 있습니다. 적어도 무슨 확실한 이유 없이 재판을 중단시키지 않으니까요. 그래서 적당한 때에 지령을 내린다든가, 피고를 신문하거나, 조사를 하는 등 표면적으로 무슨 사건이 있어야 합니다. 그렇게 되면 소송 문제는 제한된 범위 내에서 돌게 됩니다."

이야기가 채 끝나기도 전에 케이는, 웃옷의 소매를 팔에 끼우며 자리에서 일어났다.

"벌써 가시려고요?"

화가도 따라 일어서며 이렇게 물었다.

"공기 때문에 견딜 수 없으신가 보군요. 아직 할 이야기가 많은데……."

"이만하면 잘 알았습니다."

"제가 말씀드린 두 가지 방법은, 당신이 유죄 판결을 받는 것을 막게 할 겁니다. 두 가지 중 어느 쪽으로 결정을 내리셨는지요? 어쨌든 모든 일을 신중하게 생각해 보십시오."

"빠른 시일 내에 다시 오겠습니다."

케이는 이렇게 말하고, 급히 문 쪽으로 발길을 돌렸다. 그 때 소녀들이 다시 떠들기 시작했다.

"약속을 어기지 마시오."

화가는 그냥 자리에 앉아서 이렇게 말했다.

"약속을 지키지 않으면 제가 은행으로 찾아가겠습니다."

케이는 밖으로 나가려다가 여자애들이 문고리를 잡고 있다는 것을 알았다. 그러자 화가는,

"이쪽 문으로 나가는 게 어떻습니까?"
하고 말했다. 화가가 가리킨 곳은 침대 뒤에 있는 문이었다. 화가는 문을 여는 대신, 침대 밑으로 들어가서 이렇게 물었다.

"그림을 한 장 보시겠습니까?"

케이는 화가의 기분을 건드리고 싶지 않았다. 화가는 앞으로 케이를 위해 힘써 주겠다는 약속까지 했으니까. 그래서 케이는 잠시 그림을 보기로 했다. 화가는 침대 밑에서 틀에 넣지도 않은 먼지투성이의 그림을 한뭉치 꺼냈다. 화가가 그림 위에 있는 먼지를 훅 불었을 때, 케이는 매캐한 먼지 때문에 숨이 막힐 것 같았다.

"광야의 풍경입니다."

"좋군요. 제가 사겠습니다."

케이는 자기도 모르게 이렇게 말했다. 화가는 마루에서 다른 그림을 한 장 꺼내어 케이이게 보여 주었다.

"이건 경향이 좀 다릅니다."

"아름다운 풍경이군요. 두 장 사서 사무실에 걸어야겠어요."
"여기 비슷한 그림이 또 한 장 있습니다."
그러나 그것은 비슷하다기보다 거의 똑같은 풍경화였다. 화가는 이 기회를 이용해서, 낡은 그림을 모조리 팔아 버릴 생각이었다.
"좋습니다. 전부 얼마입니까?"
"지금은 바쁘실 테니 다음 기회에 만나기로 합시다. 하여튼 그림이 마음에 드신다니 기분이 좋습니다. 이 밑에 있는 그림도 다 드리겠습니다."
"그럼 내일 급사를 보내겠습니다."
"아닙니다. 제 쪽에서 그림을 보내겠습니다."
화가는 그제서야 침대 위로 팔을 뻗더니, 문을 열어 주었다.
"어서 침대 위로 올라오세요. 이 방에 들어오는 사람은 누구나 이렇게 해서 나간답니다."
케이는 열린 문으로 밖을 내다보다가 깜짝 놀랐다.
"저게 뭐지요?"
"아, 재판소 사무실입니다. 아직 모르셨나요? 이 지붕 밑의 방들은 거의 재판소 사무실로 사용합니다. 제 화실도 실은 재판소 사무실입니다. 제가 빌려 쓰고 있습니다만."
케이는 이런 곳에 재판소 사무실이 있다는 사실에 놀랐다. 케이의 눈앞에는 기다란 복도가 있었다. 그 복도에서 풍기는 공기는 화실보다 훨씬 상쾌했다. 복도에는 소송과 관련된 사람들이 그다지 많지는 않았다. 케이가 침대를 넘어가자, 화가는 그림을 들고 케이의 뒤를 따랐다. 잠시 후에 케이는 재판소 급사를 만났다. 화가는 재판소 급사에게 그림을 들고 따라가 달라고 부탁했다. 케이는 걸어가면서 머리가 어질어질했다. 소녀들은 화실의 다른 문이 열린 것을 알고 빙 돌아서 왔다.

"저는 더 이상 못 나가겠습니다."

화가는 소녀들에게 밀려서 웃으며 이렇게 말했다. 케이는 뒤도 돌아보지 않았다. 골목길을 나서자마자 그는 지나가는 마차를 세웠다. 은행에 도착했을 때는 어느덧 저녁이 되었다. 케이는 그림을 차 안에 두고 내리려고 하다가, 그냥 사무실로 들고 들어왔다. 그리고는 지점장 대리 눈에 띄지 않도록, 책상 서랍 안에 넣어 두었다.

상인 블루크, 변호사 해약

마침내 케이는 변호사의 변론을 거절하기로 했다. 그런 결심을 해서인지 그는 제대로 은행 일을 볼 수가 없었다. 케이는 늦게까지 사무실에 남아 있다가 퇴근을 했다.

케이가 변호사의 집에 도착했을 때는 이미 열 시가 넘어 있었다. 초인종을 누르기 전에 케이는, 전화나 편지로 미리 알리는 것이 낫지 않았을까 하고 생각했다. 초인종을 눌렀지만 아무 대답이 없었다.

'레니가 나올 텐데.'

하고 케이는 생각했다. 잠시 후 다시 초인종을 누르자, 누군가가 문 밖을 유심히 살피는 듯했다. 레니의 눈은 아니었다. 그 사람은 안방을 향해 이렇게 외쳤다.

"누가 왔어요."

그러고 나서 문을 활짝 열어 주었다. 케이는 그 소리에 놀라 셔츠 바람으로 달려가는 누군가의 뒷모습을 보았다. 문을 열어 준 남자는 수염투성이에다 키가 작고 마른 남자였다.

"여기서 일을 하시나요?"

"아니오."

하고 남자가 대답했다.

"저는 변호사님과 법률 문제로 의논할 게 있어서 왔습니다."

"그런데 왜 윗도리는 안 입으셨나요?"

하며 케이는 그 남자의 단정치 못한 모습을 지적했다. 그제야 남자는,

"죄송합니다."

하며 자기 모습을 내려다보았다.

"레니는 당신 애인인가요?"

하고 케이가 남자한테 물었다.

"천만에요."

그 남자는 이렇게 말하며 손을 내저었다.

"아닙니다, 아닙니다. 무슨 그런 말씀을 하십니까? 그건 그렇고, 우선 이리로 오십시오."

케이는 그 남자의 뒤를 따라갔다.

"성함이 어떻게 되십니까?"

하고 케이가 물었다.

"블루크입니다. 상인이지요."

"본명인가요?"

"왜 그런 걸 의심하시나요?"

"본명을 숨겨야 하는 이유가 있을 것 같아서요."

케이는 변호사 사무실 문 앞에서 잠깐 이렇게 외쳤다.

"여길 좀 밝혀 주세요!"

케이는 그 방에 레니가 있다고 생각하고, 방문을 열어 살펴보았지만 방 안은 텅 비어 있었다. 재판관의 초상 앞에서 케이는 바지 멜빵을 끌어당겼다.

"누군지 아시오?"

하고 케이가 남자한테 물었다.

"재판관인가요?"

"제대로 볼 줄 모르는군요. 하급 예심 판사 중에서도 가장 낮은 판사랍니다."

케이는 다시 복도로 나갔다.

"당신은 레니가 숨은 곳을 아시지요?"

"숨다니요? 부엌에서 변호사님께 드릴 수프를 끓이고 있을 겁니다."

"그래요? 그렇다면 부엌에 좀 데려다 주십시오."

레니는 부엌에서 하얀 앞치마를 입고, 냄비에 계란을 넣고 있었다.

"어서 오세요, 요제프 씨!"

케이는 레니 옆으로 가서 물었다.

"저 남자는 누구야?"

레니는 한 팔로 케이를 껴안고, 다른 손으로 수프를 저으며 이렇게 말했다.

"블루크라는 보잘것없는 상인이에요."

"당신 애인인가?"

"사무실로 가세요. 다 말씀 드릴 테니."

"여기서 말해!"

"요제프 씨, 블루크한테 질투를 느끼나요?"

그러고는 그 남자를 불렀다.

"좀 도와주세요. 이 분이 우리 사이를 의심하시네요."

"왜 그런 오해를 하는지 모르겠군요."

하고 매우 담담한 어조로 남자가 말했다. 그러자 레니는 큰 소리로 웃으며, 케이의 품 속으로 파고들어가서 이렇게 속삭였다.

"저 사람은 변호사님과 잘 아는 사이예요. 그런데 당신은 변호사님을 만나러 오셨나요? 변호사님은 오늘 무척 편찮으세요. 하지만 당신이 꼭 만나셔야 한다면 연락을 하겠어요. 오늘 밤은 여기서 지내세요. 괜찮지요? 참, 변호사님이 소송 문제를 소홀히 하면 안 된대요. 어쨌든 그 외투를 벗으세요!"

레니는 케이의 외투와 모자를 받아들고, 그것을 걸어 두기 위해 응접실에 갔다 왔다. 그러고는 다시 수프를 저었다. 케이는 레니와 변호사 해약 문제를 의논하고 싶었다. 하지만 상인이 있어서 상의를 못하자, 그저 불쾌하기만 했다. 그렇다고 해서 변호사 해약 건을 단념할 수도 없어 레니에게 이렇게 말했다.

"레니, 변호사님께 수프를 먼저 가져 가. 그 분과 이야기하려면, 그 분이 우선 기운을 내야 하니까 말이야."

"당신도 변호를 부탁하셨나요?"

구석에 앉아 있던 상인이 물었다. 그러나 케이는 그를 상대하지 않았다.

"변호사님이 잠이 들지도 모르겠어요. 식사를 하시면 그 분은 늘 잠이 들거든요."

하고 레니가 말했다.

"아마 내 이야기를 들으면 정신이 번쩍 뜨일걸."

케이는 자기가 변호사와 무슨 중요한 이야기를 나눌 것처럼 말했다. 그렇게 하면 레니가 무슨 일이냐고 물어 올 게 뻔하기 때문이다. 하지만 레니는 케이의 말을 건성으로 들었다.

"식사가 끝나는 대로 알려 드릴게요."

"그래, 어서 가 봐."

케이는 레니의 뒷모습을 바라보았다. 그리고 변호사 해약 건을 꼭 말해야겠다고 다시 한 번 결심을 굳혔다. 레니와 대화를 나눌 시간이 없

었던 게 오히려 다행인지도 몰랐다. 케이는 상인에게 물었다.

"변호를 부탁한 지 오래됩니까?"

"네, 오래되었습니다. 저는 곡물 장수입니다. 사업을 시작할 때부터 변호를 의뢰했으니, 이럭저럭 이십 년은 된 것 같습니다. 이번 소송 문제는, 제 아내가 죽고 나서 의뢰했으니, 벌써 오 년이 넘었군요."

"그러면 변호사님은 일반적인 법률 문제도 다룹니까?"

"물론이지요."

상인은 이렇게 말하고 케이의 귀에다 속삭였다.

"저는 이 양반말고도 의뢰한 변호사가 다섯 명이나 있습니다."

"다섯이나요?"

"저는 이제 일곱 번째 변호사를 만나려고 합니다."

"변호사가 그렇게나 많이 필요합니까?"

"물론이지요."

"그건 왜죠?"

"우선 소송에 지고 싶지 않으니까요. 저는 제 소송에다 전 재산을 써 버리고 말았습니다. 전 같으면 어느 한 층을 다 상점으로 썼는데, 이제는 뒷골목 방 하나에 점원 한 사람만 데리고 있습니다. 이렇게 몰락하게 된 원인은, 자금 부족뿐 아니라 제 활동력이 부진해서입니다."

"그럼 당신은 요즘도 소송 문제로 애를 쓰십니까?"

"처음에는 그랬는데, 곧 그만두었습니다. 재판소에 가서 애를 쓰고 교섭한다는 건, 제 성미에 맞질 않으니까요. 당신도 아시겠지만 재판소 사무실 공기는 너무 탁해서 견딜 수가 있어야지요."

"내가 사무실에 갔는지 어떻게 아시죠?"

"당신이 지나갈 때 나는 휴게실에 있었어요."

"참 우연한 일이군요. 당신이 나를 보았다니!"
"별로 우연도 아니죠. 저는 매일 재판소 사무실에 나가니까요. 앞으로도 가끔 가야 하지만."
"그 때 거기 있던 사람들은 나를 재판관으로 오해했나 봐요. 나를 보더니 모두 자리에서 일어났으니까요."
"그건 당신이 잘못 생각하고 있는 겁니다. 우리들은 재판소 사환한테 인사한 것뿐이니까요. 우린 당신이 피고라는 것을 알고 있었습니다."
"이런……. 그렇다면 내 태도가 조금 거만해서 흉을 봤겠군요?"
"당신은 재판소 사정을 잘 모르는 것 같더군요. 거기에서는 여러 가지 일이 사람들의 이야깃거리가 되지만, 누구나 다 지쳐 있어 남의 일로 이러쿵저러쿵 할 여력이 없습니다. 그런데 그 곳에 있는 사람들은 일종의 미신을 믿고 있습니다. 즉, 피고들의 입술을 보고, 소송의 결과를 미리 점쳐 보는 것이지요. 사람들은 당신의 입술을 보고, 당신이 유죄 판결을 받을 거라고 했습니다. 하지만 걱정하지 마십시오. 그건 유치한 미신에 지나지 않으니까요."
"내 입술이 어떻길래?"
하고 말하고, 케이는 호주머니에서 조그만 거울을 꺼내 들여다보았다.
"별로 이상할 게 없는데요."
"저도 그렇게 생각합니다."
"거기 있는 사람들은 서로 오가다가 의견을 교환하나요?"
"대개는 접촉이 없습니다. 사람이 너무 많아서 그럴 수도 없고, 또 피고들이 함께 할 수 있는 일도 없으니까요. 무슨 사건이든 거의 개별적으로 이뤄지지요."
"휴게실에 있는 사람들은 얻을 것도 없으면서 그저 기다리고 있는 것 같았어요."

"그냥 아무 생각 없이 기다리는 건 아닙니다. 어떻게든 소송에서 이기려고 여러 가지 생각들을 하고 있죠. 저는 변호사를 여섯 명이나 두었습니다만, 이제 이 짓을 그만두려고 합니다. 그냥 한 사람한테 부탁하는 게 오히려 나을 것 같습니다. 사실 저는 오 년 동안 제 소송 문제로 씨름을 했습니다만, 결코 간단한 일이 아니었습니다."

남자는 잠시 동안 아무 말도 없었다. 케이는 레니가 오지 않았나 하고 귀를 기울였으나, 한편으로는 아직 물어 볼 말이 많아서 레니가 오는 것을 바라지 않았다. 그리고 자기가 온 것을 알면서도, 레니가 변호사와 오래 있다는 것에 기분이 상했다.

"제 소송 문제가 당신만큼 진행되었을 때, 저는 지금 이 변호사만을 믿고 있었습니다. 그러나 그것만으로는 도저히 만족할 수가 없었습니다. 소송이 조금도 진전되지 않았으니까요. 언젠가 저는 심리가 있어 재판소에 나가 서류 같은 것을 빠짐없이 제출했습니다. 그런데 아무 소용이 없었지요. 그럴 때마다 저는 변호사한테 달려간 적이 한두 번이 아닙니다."

"그건 저도 마찬가지입니다. 제 변호사는 아직도 첫 변론 서류를 붙들고 있습니다. 변호사는 처음부터 저를 무시하고 있었습니다."

케이가 이렇게 말하고는 다시 물었다.

"그래, 당신은 소송을 어떻게 진전시켰나요? 이야기를 해 주시면 저도 제 비밀을 말씀드리겠습니다."

"좋은 질문입니다. 저는 결말을 짓든가, 진전이 있기를 바랐습니다. 그러나 늘 똑같은 내용의 취조만 있을 뿐이었지요. 그래서 저 역시 같은 답변만 했고요. 일주일에도 몇 번씩 재판소 사환이 사무실이나 우리 집, 저를 만날 수 있는 곳으로 찾아왔습니다. 그러다보니 친구나 친척들에게 저의 소송에 관한 일이 소문이 났고, 모두들 저에 대해

험담을 하기 시작했습니다. 그런데 첫 번째 변론이 열릴 것 같지 않았습니다. 저는 변호사를 찾아가 저의 어려움을 호소했습니다. 하지만 변호사는 저의 부탁을 거절하고, 변론 기일을 정하는 데 있어서는 어떤 압력이 있어도 효과가 없다고 말했습니다. 그리고 변론 서류를 재촉하다가는 두 사람 모두 신세만 망친다고 했습니다. 그래서 저는 다른 변호사를 구해야겠다고 생각한 겁니다. 당신에게 충고하고 싶습니다. 홀트 변호사는 자기를 동료 변호사들과 구별하기 위해, 자기를 언제나 대변호사라고 부릅니다. 그게 잘못입니다. 여러 층에 변호사가 있습니다. 그런데 홀트 변호사와 그 동료들은 지위가 낮은 변호사입니다. 저도 대변호사를 이야기만 들었지, 한 번도 본 적이 없습니다."

"대변호사라고요? 대체 어떤 사람들이지요? 어떻게 하면 그들을 만날 수 있을까요?"

"아직 모르시는군요. 어떤 피고라도 대변호사 이야기를 들으면, 당연히 그들에게 매력을 느끼죠. 대단한 힘을 가지고 있을 것 같으니까요. 하지만 그런 사람을 만나려고 하지 마십시오. 그들은 우리가 원한다고 해서 만날 수 있는 사람들이 아닙니다. 그쪽에서도 기분에 맞는 사람만을 택해서 변호하니까요. 또 대변호사들이 맡는 사건은, 하급 재판소에서 취급하지 않습니다."

"그러면 당신은 대변호사를 생각하지 않았습니까?"

"그런 것은 아닙니다. 저 역시 어서 결말을 내고 싶어서, 변호사 대리한테 갔었습니다."

그 때 레니가 접시를 들고 들어와서는,

"그렇게 붙어 앉아서 뭘 하세요?"

하고 물었다. 사실 케이와 상인은 서로 머리가 맞부딪칠 정도로 가까이 앉아 있었다.

"이 양반이 내 소송 이야기를 듣고 싶어하시기에."

하고 상인이 말했다. 그러고는 더 이상 아무 말도 하지 않았다.

'이 사람은 지금 레니가 있어서 아무 말도 하지 않는 거야.'

하고 케이는 생각했다. 케이는 나머지 이야기가 궁금했지만, 더 이상 묻지 않았다.

"레니, 내가 왔다고 변호사님께 알렸겠지?"

"알리고말고요. 그 분은 지금 당신을 기다리고 있어요. 블루크 씨는 여기 계실 테니, 하시던 이야기는 나중에 하세요."

케이는 망설이면서 상인에게,

"여기 계시겠어요?"

하고 물었다. 그러자 레니가 대신 말했다

"이 분은 여기서 가끔 잠도 주무신답니다."

"여기서?"

하고 케이는 외쳤다.

"그럼요. 누구나 자기가 편리한 때 찾아와서 변호사님을 뵙게 되는 것은 아니랍니다. 선생님은 몸도 안 좋은데, 밤 열한 시에 당신을 만나 주신다니 고맙지 뭐예요. 아마 친구 조카라서 당신한테는 특별한가 봐요. 저도 당신을 위해 애쓰고 있어요. 그렇다고 사례할 필요는 없어요. 사랑만 해 주면 되니까요."

'사랑을 해?'

케이는 잠시 생각했다.

'그래, 난 이 여자를 사랑하고 있다.'

하지만 케이의 입에서는 이런 말이 불쑥 튀어나왔다.

"내가 의뢰인이니까 만나 주는 거지?"

그러자 레니는 상인을 보면서,

"왜 이 분이 오늘따라 이렇게 기분이 나쁘실까?"

하고 물어 보았다. 그러고는 케이를 데리고 변호사가 있는 곳으로 발걸음을 옮겼다. 레니는 어느 방 앞으로 가서 문을 열었다.

"저 분이 자는 침실을 보실래요?"

천장이 낮은 그 방에는 창문이 하나도 없었다.

"하녀 방에서 자는군요."

하고 케이는 상인을 보고 말했다.

"레니가 내준 방입니다. 그런대로 편합니다."

케이는 상인을 멍하니 바라보았다. 그러고는 레니한테 이렇게 말했다.

"저 남자를 침대로 데리고 가는 게 어때?"

그 때 상인이 케이를 불렀다.

"업무 주임님, 저한테 비밀을 한 가지 말씀해 주신다고 했지요?"

"예, 저는 지금 변호사를 찾아가서 해약을 하려고 합니다."

"해약이라고요?"

그 말을 듣자 레니는 케이에게로 달려왔다. 상인이 레니를 가로막자, 레니는 주먹으로 상인을 때렸다. 그 사이 케이는 변호사 방으로 들어갔다. 레니가 변호사 방으로 달려갔지만, 케이는 이미 안에서 문을 잠갔다.

"벌써부터 기다리고 있었습니다."

그러자 케이가 말했다.

"실례하겠습니다."

"다음부터 이렇게 늦게 오시면 만나지 않겠습니다."

"그렇다면 더욱 좋지요."

그러자 변호사는 이상하다는 듯이 케이를 바라보았다.
"문을 잠그시던데, 왜죠? 또 누가 달라붙습니까?"
"달라붙다니요?"
그러자 변호사는 큰 소리로 웃으며 이렇게 말했다.
"당신은 레니한테 관심이 없는 것 같던데. 그 편이 좋지요. 그래야 그나마 당신이 나한테 얼굴을 들 수 있으니까요. 레니는 참 이상한 성격을 갖고 있습니다. 어떤 피고든지 다 미남으로 생각하죠. 그 여자는 누구에게나 마음을 주고 사랑을 느낍니다. 더 웃긴 건 레니가 누구한테서나 사랑을 받는다는 것이지요. 자, 그러나저러나 무슨 특별한 말씀이라도 있으신가요?"
"그렇습니다. 오늘로써 저의 변호를 그만두시라고 말씀드리러 왔습니다."
"아니, 그게 도대체 무슨 말씀입니까?"
두 사람은 잠시 동안 서로 아무 말도 하지 않았다. 얼마 후, 변호사가 입을 열었다.
"자, 일단 당신의 계획을 한 번 들어 봅시다."
"계획은 없습니다."
"당신은 너무 서두르는군요."
"아뇨. 저는 충분히 생각해 보았습니다. 저의 결심은 바뀌지 않습니다."
변호사는 그제서야 침대에서 일어났다.
"추우실 텐데, 그냥 누워 계시지요."
"아니오. 매우 중요한 일인데, 어떻게 그럴 수 있습니까? 당신은 내 친구의 조카입니다. 그래서 그런지 다른 누구보다 더 정이 들었습니다."

"저를 위해 힘써 주신 것을 잘 알고 있습니다. 그러나 저는 그것만으로는 충분하지 않다고 생각합니다. 당신은 소송 문제에 있어서는 좀 더 적극적으로 일해 주셨어야 했다고 봅니다."

"잘 알겠습니다. 그런데 당신은 너무 서두르는 것 같군요."

"전혀! 제가 아저씨를 따라 여기 왔을 때, 당신은 제가 제 소송에 관해 별로 관심이 없다는 것을 아셨을 겁니다. 그러나 아저씨가 모든 일을 변호사님께 맡기라고 고집을 부리셔서 그대로 따랐습니다. 사건을 변호사한테 맡기면 부담이 줄 거라고 은근히 기대하기도 했습니다. 그러나 제 기대와는 전혀 딴판이었습니다. 저는 모든 준비가 다 갖추어져 있어서, 이제나저제나 당신이 활동하기만을 기다렸습니다. 하지만 모두 허사였습니다."

"어떤 시기가 오면."

하고 변호사는 나직한 목소리로 말했다.

"소송이 아무 진전이 없는 것 같아 보이기도 하겠지요."

"변명하지 마십시오."

"변명이 아닙니다. 저를 그렇게도 믿지 못하셨다면 저로서는 몹시 섭섭한 일이군요."

케이는 아무 말도 하지 않았다. 그런데 변호사는 케이의 침묵을 자기에 대한 호의로 생각했는지, 계속 말했다.

"저는 비서도 없이 일합니다. 물론 전에는 그렇지 않았지요. 젊은 변호사가 저를 도와주었으니까요. 제가 왜 혼자서 일하는지 아십니까? 그건 저의 의뢰인에게 과오를 범하지 않기 위해서입니다. 그러기 위해서는 절대로, 남에게 일을 맡겨서는 안 된다는 것을 알았기 때문입니다. 그 때문에 저는 저에게 변호를 의뢰해 오는 의뢰인들을 다 받을 수 없었습니다. 이렇게 해서 저는 제가 맡은 사건에 상당한 성과를 올렸습니다. 그런데도 제 뜻을 모르고, 당신처럼 오해하는 사람들이 종종 있습니다."

케이는 변호사의 이런 지루한 변명을 들으니 화가 났다. 변호사는 그런 케이의 마음도 모르고, 이야기를 계속 했다.

"당신은 저의 변호를 제대로 평가하지 못하고 있습니다. 거기다 내가 당신을 얼마나 생각하고 있는지도 모르죠. 자, 내가 다른 의뢰인들보다 당신을 얼마나 특별하게 대했는지를 보여 드리겠습니다. 지금 블루크 씨를 부를 테니, 이 탁자 옆에 앉아 주십시오."

"좋습니다. 하지만 내가 변호 해약을 한 건 아시지요?"

"네, 압니다. 그러나 당신은 오늘 밤 안에 다시 해약을 번복할지도 모르겠습니다."

변호사는 벨을 눌렀다. 벨 소리를 듣자, 레니가 달려왔다.

"블루크를 불러 와."

그러자 레니는 문 앞에서 블루크를 불렀다.

"블루크 씨, 변호사님이 부르세요."

잠시 후 블루크가 왔다.

"부르셨나요, 변호사님?"

"뭐야, 당신은? 이런 때에 오다니? 언제나 불편한 때만 찾아온단 말이야."

"그러면 다시 돌아갈까요?"

"아니, 왔으니까 그냥 가면 안 되지. 여기 있어!"

그런데 블루크는 벌벌 떨고 있었다. 변호사가 말했다.

"어제 나는 내 친구인 제3재판관을 찾아가서, 자네 이야기를 들었다네. 들어 보겠나?"

"예, 부탁합니다."

블루크는 무릎이라도 꿇을 듯이 몸을 굽혔다.
"대체 자네 변호사는 누구야?"
"그야 물론 선생님이시죠."
"그 밖에는?"
"선생님 이외에는 아무도 없습니다."
"그래야지, 블루크. 다른 사람 말은 절대 듣지 마!"
그제서야 블루크는 변호사가 말한 의미를 알아차리고, 증오에 찬 눈빛으로 케이를 바라보았다. 블루크는 케이가 홀트 변호사에게 모든 사실을 털어놓았다고 생각한 것이다. 케이는 의자에 기대어 말했다.
"무릎을 꿇건 엎드리건 당신 마음대로 하시오."
블루크는 케이의 말에 화가 나서, 고래고래 큰 소리를 질렀다.
"당신은 그런 말을 할 자격이 없소. 무슨 원한으로 나를 모욕하는 거요? 당신이 신사라면 나도 당신 못지않은 신사요!"
케이는 정신없이 소리를 지르는 이 남자를 뚫어지게 바라보았다.
'이 무슨 변덕이냐? 얼마 전까지 홀트 변호사를 흉보던 이 남자가 이런 짓을 하다니!'
상인은 변호사한테 다가가서 케이에 대한 불만을 쏟아냈다.
"변호사님, 저 사람은 오 년 동안이나 소송을 해 온 경험이 있는 나한테 훈계를 하며 조롱까지 했습니다. 이게 어디 될 말입니까? 변호사님, 저는 이렇게 무릎을 꿇었습니다."
상인은 의뢰인이 아니라 변호사를 지키는 충실한 개 같았다. 만일, 변호사가 침대 밑으로 기어 들어가서 짖으라고 하면 짖을 것 같았다.
변호사는 레니에게 말했다.
"블루크는 언제 왔지?"
"아침에요."

"그래, 그렇다면 하루 종일 뭘 했어?"
"블루크 씨는 하루 종일 법에 관련된 서류를 들여다보았어요."
"읽는다고 무슨 말인지 알기나 하나? 하긴 그거라도 읽어야 내가 자기를 위해 얼마나 고생을 하는지 알지. 안 그래, 블루크?"
"네, 변호사님!"
"재판관이 그러더군. 블루크 소송 문제를 잘봐 줄 수가 없다고."
블루크는 잔뜩 긴장한 눈빛이었다.
"자네 이야기만 꺼내면 재판관은 불쾌한 표정을 짓더군. 그래서 내가 '저는 블루크의 변호사입니다.' 했더니 재판관이 그러더군. '자넨 블루크한테 이용만 당하고 있어.' 그래서 내가 '그럴 리 없습니다. 그 사람은 누구보다 소송 문제에 열심입니다. 그렇게 착실한 사람도 보기 드물지요. 나무랄 데가 없는 사람입니다.' 하고 말했어. 그랬더니 재판관이 '그 사람은 간사한 사람이야. 그 동안 얻은 체험으로 소송을 지연시키고 있어.' 이렇게 말하더군."
그 때 블루크는 다리를 휘청거리며 일어서더니, 무언가 설명하려고 했다. 변호사가 피곤한 눈으로 블루크를 보자, 그 시선에 주눅이 든 블루크는 그만 다시 무릎을 꿇었다.
"재판관이 뭐라고 말하든 자네하고는 상관 없어. 나는 자네 편이니."
블루크는 어쩔 줄 몰라서 침대 옆에 깔려 있는 양탄자를 만지작거렸다. 그는 재판관의 이야기가 걱정되어서, 변호사에게 비굴한 태도를 보여야 한다는 것도 잊어버리고 있었다. 그리고 어떻게 하면 이 고비를 넘길수 있을지를 여러 모로 생각했다.
"블루크!"
하고 레니가 경고라도 하듯이 말했다.
"그런 장난은 그만하고, 변호사님 말씀을 잘 들어요!"

성당에서

케이는 은행에서 이탈리아 고객이 이 도시에 머무르는 동안, 그에게 유적지를 안내하라는 명령을 받았다. 케이는 잠시라도 사무실을 떠나 있는 것이 괴로웠기 때문에, 이 명령이 달갑지 않았다. 사무실을 비우면 케이는 불안했다. 언제나 자기를 미행하는 지점장 대리가, 사무실에 들어와서 자기 서류를 들춰 볼 것만 같았고, 케이의 고객한테 나쁜 말을 할 것만 같았다. 그뿐 아니라 은행에서 케이가 저지른 조그마한 실수까지 폭로할 것 같았다.

하지만 케이는 이탈리아 고객을 안내해야만 했다. 케이의 이탈리아 어 수준은 그런대로 괜찮았다. 거기다가 케이는 미술사에 대해서도 나름대로 교양을 갖추고 있었다.

비가 몹시 내리는 어느 날 아침, 케이는 일곱 시에 이미 은행 사무실에 도착했다. 이탈리아 사람을 접대하기 위해서는, 조금이라도 일찍 나와서 사무실 일을 해 두어야 안심이 될 것 같았다. 하지만 전날 밤 늦게까지 이탈리아 어 공부를 한 케이는 몹시 피곤했다. 케이가 책상 앞에 앉아서 일을 하기 시작하자 급사가 들어왔다. 케이가 출근했는지 확인한 다음, 이탈리아 손님이 오셨으니 응접실로 오라는 지점장의 이야기를 전했다.

케이는 자그마한 이탈리아 어 사전과, 이 도시의 명승 고적 사진이 실린 책을 끼고 응접실로 갔다. 케이가 응접실로 들어서자, 지점장과 이탈리아 손님이 안락의자에서 일어났다. 지점장은 케이에게 이탈리아 사람을 소개했다. 세 사람은 자리에 앉아 간단히 이야기를 나누었다. 케이는 이탈리아 사람의 이야기를 간간히 알아들을 수는 있었지만, 속도가 너무 빨라 전체적으로 이해하기에는 힘이 들었다. 다행히 지점장은 이

탈리아에서 일한 경험이 있어서, 이탈리아 사람의 대화 상대가 되어 주었다. 케이는 결국 두 사람이 이야기하는 것을 멍하니 듣고만 있었다. 그러던 중 갑자기 이탈리아 남자는 시계를 보더니, 자리에서 급히 일어났다. 케이도 따라 일어났다. 지점장은 케이가 이탈리아 어 때문에 근심하고 있다는 것을 알아차리고는 간단히 충고해 주었다.

"이탈리아 사람은 아직 할 일이 더 남아 있어서, 시간적 여유가 없다네. 그러니 명승지를 자세히 보기는 힘들다는군. 그는 성당만 자세히 구경하고 싶어한다네. 자기 일이 끝나는 대로 열 시까지 성당으로 가겠다는군."

이탈리아 사람은 두 사람과 차례로 악수를 하고 밖으로 나갔다. 이탈리아 사람이 나가자 지점장이 케이에게 말했다.

"처음에는 이 사람이 하는 말을 이해하기 힘들 거야. 하지만 시간이

지나면 괜찮아지겠지."

케이는 응접실을 나왔다. 그리고 성당으로 떠나기 전에, 성당 설명에 필요한 단어들을 사전에서 찾아 두었다. 정각 아홉 시 반에 케이는 성당으로 떠나려고 했다. 그 때 전화벨이 울렸다. 레니였다. 레니는 아침 인사를 하고 안부를 물었다. 케이는 고맙다고 말하고, 성당에 갈 일이 생겨 지금은 이야기할 시간이 없다고 말했다.

"성당에요?"

"그래, 성당에 가야 해."

"무슨 일이 있나요?"

케이는 간단히 성당에 가야 하는 이유를 설명하려고 했다. 그런데 레니가 먼저 그에게 이렇게 말했다.

"당신은 감시당하고 있어요."

케이는 어쩔 줄 몰라 하며 수화기를 내려놓았다. 그러고는 혼잣말처럼 이렇게 중얼거렸다.

"그래, 누군가 나를 감시하고 있지."

케이는 약속 시간까지 성당에 도착하려고 자동차를 타고 갔다. 차 안에서 케이는 사진 책을 무릎 위에 놓고, 불안한 듯이 책을 만지작거렸다. 비가 많이 내리지 않았지만 사방은 어둠침침하고 쌀쌀했다. 성당 앞 광장에는 아무도 없었다. 케이는 곧장 성당 안으로 들어갔지만 안에도 역시 아무도 보이지 않았다. 사실, 이런 날 성당을 구경하러 오는 사람은 거의 없을 것 같았다.

케이는 성당 복도를 걸어갔지만, 늙은 할머니 한 사람을 만났을 뿐이었다. 그 할머니는 옷을 따뜻하게 입고, 무릎을 꿇은 채 마리아 초상을 쳐다보고 있었다. 잠시 후 시계가 열 시를 쳤지만, 이탈리아 사람은 나타나지 않았다. 혹시나 하는 마음에 케이는 성당 주위를 둘러보았다. 하지만 아무도 없었다.

'지점장이 시간을 잘못 들은 게 아닐까?'

케이는 성당 안으로 들어가 자리에 앉았다. 그런 다음 사진 책을 펴놓고 그림을 보았지만 잘 보이지 않아 그만두었다. 이탈리아 사람이 시간을 지키지 않은 것은 예의에 벗어난 일이지만, 확실히 현명한 일이었다. 성당에 와도 그 역시 아무것도 보지 못했을 테니까. 케이는 더 이상 그 사람을 기다릴 필요가 없을 것 같아 나가려고 했다. 하지만 밖에는 비가 많이 내리고 있어 잠시 그 곳에 머무르기로 했다.

그가 앉아 있는 자리 바로 옆에는 설교단이 있었다. 그는 설교단 앞으로 가서 십자가를 자세히 살펴보았다. 그 때 예배석 뒤에서 급사가 나타났다. 그 사람은 주름이 많은 옷을 입고, 케이의 동정을 살피고 있었다.

'저 사람은 날 감시하는 걸까? 아니면, 술값이 필요한 건가?'

그 남자는 케이를 향해 무언가를 가리키며 머리를 끄덕였다.

"왜 그러세요?"

하고 케이가 물었다. 그는 지갑을 꺼내들고 예배석 사이를 지나 그 남자한테로 갔다. 그러나 그 남자는 돈을 거절한다는 듯이 손을 내저었다. 그러고는 다리를 절며 뛰어갔다.

케이는 그 남자의 뒤를 따라갔다. 복도를 지나 중앙 제단까지 올라갔을 때, 그 남자가 무언가를 가리키고 있었다. 케이는 그것을 더 이상 따라오지 말라는 뜻으로 알고, 다시 사진 책을 놓아 둔 자리로 돌아가려고 중앙 통로를 지나갔다. 그 때 케이는 성가대 좌석 근처에 설교단이 있다는 것을 알았다. 설교단은 매우 간소하고 작아서, 그 곳에 서서 설교를 하려면 답답할 것 같았다. 그런데 그 설교단 밑에 신부가 한 명 서 있었다.

그 모습을 보고 케이는 깜짝 놀라 어쩔 줄 몰라 하며 겸연쩍게 웃었다. 그 신부가 케이를 힐끗 쳐다보며 가볍게 머리를 숙이자, 케이도 성호를 긋고 허리를 굽혀 인사를 했다. 케이는 이 신부가 설교를 하려는 것이 아닐까 생각하고는 어서 나가는 게 좋겠다고 생각했다. 설교 도중에 나가는 것은 예의가 아니라고 생각했기 때문이다.

성당 주위는 몹시 고요했다. 여기를 빠져 나가야 한다고 생각한 케이는 발꿈치를 들고 조심스럽게 걸었다. 하지만 아무리 애를 써도 발소리는 둥근 천장에 울리고, 그 소리가 끊임없이 케이의 뒤를 따라왔다. 케이는 몹시 불안했다. 케이는 처음 앉아 있던 자리에 오자, 사진 책을 들고 얼른 그 곳을 빠져 나왔다. 어느덧 예배석을 지나 넓은 곳에 왔을 때, 신부의 목소리가 들렸다. 신부의 목소리는 성당에 쩌렁쩌렁 울려 퍼졌다.

"요제프 케이!"

케이는 그 자리에 멍하니 서 있을 수밖에 없었다. 잠시 후 케이가 뒤돌아보니, 신부가 케이한테 가까이 오라고 손짓을 했다.

"자네가 요제프 케이지?"

"그렇습니다."

"자네는 기소되어 있어."

"알고 있습니다."

"나는 자네를 찾고 있었네. 나는 교도 신부라네. 재판소와 관계가 있지."

"아, 그러십니까?"

"말할 게 있어서 자네를 불렀다네."

"저는 몰랐습니다. 저는 여기서 이탈리아 사람을 만나기로 했습니니다.”
“손에 든 건 뭔가? 기도서인가?”
“아닙니다. 이 도시의 명승 고적을 소개한 책입니다.”
“그런 건 버려!”
케이는 알 수 없는 힘에 이끌려 책을 내던졌다.
“자네, 소송 문제가 자네에게 불리하다는 것을 알고 있나?”
“예, 어느 정도 그렇게 생각하고 있습니다. 여러 가지로 애를 썼지만, 소용이 없었습니다. 아직도 저는 변론 서류조차 작성하지 않았으니까요.”
“자네는 이 소송이 어떻게 되리라고 생각하나?”
“글쎄요, 어떻게 될지 잘 모르겠습니다. 신부님은 어떻게 생각하시나요?”
“모르지. 하지만 결과가 좋을 것 같지는 않아. 사람들은 모두 자네가 죄를 지었다고 생각해.”
“하지만 저는 아무 죄가 없어요. 신부님도 제가 죄를 지었다고 생각하십니까?”
“사람에게는 누구나 죄가 있어. 그래, 자네는 앞으로 어떻게 할 생각인가?”
“누군가의 도움을 받아야겠습니다. 아직도 가능성은 있으니까요.”
“자네는 너무 남의 힘을 의지해. 특히 여자의 힘을. 하지만 여자는 자네에게 아무 소용 없어.”
“아뇨, 여자는 힘이 있습니다. 예를 들어 재판소 사람들은 여자라면 누구라도 다 넘어갑니다. 신부님은 아직도 재판소를 제대로 모르시는 것 같습니다.”
신부는 아무 대답도 하지 않았다. 오랫동안 두 사람은 아무 말도 하지 않았다.

"신부님, 저를 위해 시간을 좀 내주시겠습니까?"

"얼마든지."

두 사람은 복도를 이리저리 걸어다니며 이야기를 나누었다.

"신부님, 저는 재판소와 관련된 사람들을 여럿 만나 보았습니다. 그런데 어느 누구도 신뢰할 만한 사람은 없었습니다. 하지만 신부님이라면 터놓고 말할 수 있습니다."

"속단하지 말게. 자네는 아직도 재판소를 잘 몰라. 재판소에 대해 뭔가 착각하고 있어."

이렇게 말하고 신부는, 법률 입문서에 나온 착각에 대해 설명했다.

"결국 허위가 세상을 지배하게 된다는 말씀이시군요?"

하고 케이가 말했다. 두 사람은 또다시 아무 말 없이 걸었다. 신부가 들고 있던 등불은 이미 꺼졌다.

"정문까지는 먼가요?"

"꽤 멀지. 벌써 가겠나?"

돌아가려고 그렇게 물은 건 아니었지만, 케이는 기다리기나 한 듯이 이렇게 대답했다.

"예, 가야겠습니다. 저는 은행 업무 주임입니다. 사람들이 저를 기다리고 있습니다. 제가 여기 온 것도 이탈리아 사람을 안내하려고 온 것인데……."

"그럼."

하고 신부는 손을 내밀었다.

"여기서 실례하겠네."

"신부님, 너무 어두워서 길을 모르겠습니다."

"벽을 따라 왼쪽으로 걸어가면 밖으로 나갈 수 있어."

신부가 몇 걸음 떨어지자, 케이는 커다란 목소리로 이렇게 외쳤다.
"신부님, 저한테 볼일은 다 보신 건가요?"
"끝났어."
"친절하게 여러 가지를 가르쳐 주신 신부님께서, 이렇게 냉정하게 저를 내버리시다니!"
"자네는 가야 한다면서?"
"그건 그렇지만."
"그전에 자네는 내가 누구인지를 알아야 해."
"그야 당신은 교도 신부죠."
케이는 이렇게 말하고 신부 옆으로 가까이 다가갔다.
"그래, 나는 재판소와 관계 있는 사람이야. 내가 자네한테 요구할 게 뭐가 있겠나? 난 단지 오는 사람을 막지 않고, 가는 사람을 붙잡지 않는다네. 재판소는 자네한테 아무것도 요구하지 않아."

결 말

케이가 서른한 살이 되기 하루 전날 밤이었다. 밤 아홉 시경, 거리는 깊은 정적 속에 잠겼다. 뜻밖에도 어떤 두 신사가 케이의 집으로 찾아왔다. 검은색 예복을 입고 창백한 얼굴을 한, 덩치가 큰 남자들이었다. 그들은 실크로 만든 모자를 푹 눌러쓰고 있었다. 그들은 케이의 방에 들어오면서 깊숙이 머리를 숙였다. 케이는 그들과 같이 검은 옷을 입고, 마치 손님을 기다리고 있었다는 듯한 태도로 이렇게 물었다.
"미리 오신다고 말씀하셨던가요?"
그들은 머리를 끄덕였다. 케이는 창문 옆으로 가서, 어두운 밤거리를 바라보며 중얼거렸다.

“다 늙어빠져서 어디에도 쓰지 못할 놈들을 보냈군.”

케이는 그들을 뒤돌아보며 이렇게 물었다.

“어느 극장에서 오셨나요?”

“극장이라고?”

하고 말하며 한 남자가 입술을 씰룩거렸다.

“질문을 받을 준비를 아직 못했군.”

그러자 케이는 다시 이렇게 중얼거렸다. 그 두 남자는 계단 위에서 케이의 팔을 붙들려고 했다.

“밖에 나가서 붙잡아요.”

문 밖으로 나오자마자 그들은 케이의 팔을 붙들었다. 지금껏 케이는 이런 꼴을 하고 걸어 본 적이 없었다. 그들의 솜씨는 아주 노련하고 익숙해서 케이가 반항할 틈이 없었다. 그들이 너무나 꼭 붙어 있어 케이는 답답함을 느꼈다. 세 사람은 인적 없는 공원에 이르렀다.

“더 이상 갈 수 없소.”

케이는 남자들의 마음을 떠보려고 말했다. 그러나 그들은 케이의 말에 아무런 대꾸도 하지 않았다. 그러자 케이는 있는 힘을 다해 대들어 봐야겠다고 생각했다.

‘내가 전력을 다해 저항하면 이자들은 무척 애를 먹겠지.’

그 때 어디선가 뷔르스트너 양이 나타났다. 확실하지는 않았지만 그녀와 아주 비슷했다. 그러나 그 여자가 뷔르스트너 양이든 아니든 케이에겐 상관 없었다. 케이는 자신이 이렇게 반항하고, 두 남자를 약올리는 것이 의미 없이 느껴졌다. 그래서 케이는 순순히 걸었다. 두 남자는 케이가 움직이는 대로 방향을 틀었다. 케이는 아까 그 여자의 뒤를 따라가려고 했다.

‘내가 할 수 있는 일은 모든 것을 태연하게, 이성을 잃지 않고 처리하는 거야. 나는 지난 일 년 동안 소송 문제로 시달렸어. 그러면서도 얻은 게 아무것도 없어. 처음에는 빨리 소송을 끝내고 싶었어. 아아, 나는 아무것도 모르는 사람들을 내 동행자로 삼고 싶지 않아.'

그런 생각을 하는 동안 여자는 골목길로 들어갔다. 여자를 계속 따라가는 것이 무의미해진 케이는, 그저 동행자들이 이끄는 대로 자기를 내버려 두었다. 두 사람은 조금도 기분이 상하지 않은 것 같았다. 그들은 달빛이 비치는 어느 다리에 이르렀다. 그들은 달빛 속에 넘실거리는 물살을 바라보았다. 여름이 되면 케이는 종종 이 곳에 오곤 했다.

"서 있고 싶지 않아요."

케이가 이렇게 말하자, 두 사람은 다시 케이를 끌고 걷기 시작했다. 좁은 비탈길을 올라가니, 여기저기에 경찰이 서 있었다. 수염을 기른 경찰 하나가, 그들한테 무엇인가 알아 보려고 다가오는 것 같았다. 순간 두 남자는 멈칫했다. 경찰이 무슨 말을 할 것 같아서 케이는 두 남자를 끌고 갔다. 그러면서 케이는 경찰이 자기를 따라오지 않는지 여러번 뒤를 돌아보았다.

그들은 급히 달려가 거리를 벗어났다. 갑자기 넓은 평야가 나왔고, 어떤 집 옆에는 조그만 채석장이 있었다. 채석장이 목적지였는지, 아니면 더 이상 뛸 수가 없어서였는지 두 남자는 거기서 발걸음을 멈췄다. 그들은 아무 말도 없이 서 있는 케이를 놓아 주고, 이마의 땀을 씻으며 채석장을 둘러보았다. 주위에 다른 불빛은 찾을 수 없었고, 오직 고요한 달빛만이 사방을 비추고 있었다.

두 남자는 각자의 일이 분담되어 있는 것 같지 않았다. 그들은 다음 일에 대한 의견을 잠시 동안 나누었다. 그러더니 한 남자가 케이에게 다가와, 옷을 하나씩 벗기더니 내복까지 벗겼다. 케이가 떨고 있는 것을 보자, 그 남자는 안심하라는 듯이 케이의 등을 가볍게 두드렸다. 그러고

는 케이의 옷을 하나씩 주웠다. 찬바람을 쏘이는 것이 몸에 좋지 않다고 생각했는지, 그 남자는 케이의 팔을 끼고 이리저리 왔다갔다했다.

그 동안 다른 남자는 채석장에서 다른 자리를 찾고 있었다. 드디어 그는 적당한 자리를 찾았는지, 케이의 팔을 끼고 있던 남자에게 이리 오라는 눈짓을 했다. 그들은 케이를 땅에 앉히고, 돌에 몸을 기대게 했다. 그러더니 남자 하나가 겉옷을 풀어헤치고, 조끼 위에 걸치고 있던 띠에 찬 칼집에서 칼을 꺼냈다. 칼은 길고 양날이 번쩍거렸다. 그는 칼을 높이 들고, 달빛에 비추어 보았다. 그가 동료에게 케이의 머리 위로 칼을 넘겨 주자, 그는 그 칼을 케이의 머리 위로 올렸다.

케이는 자기 머리 위에서 칼이 오가는 것을 보았다. 케이는 차라리 그 칼을 빼앗아 자기가 직접 자기 가슴을 찌르는 것이 낫겠다고 생각했다. 그러나 케이는 그러지 않고, 자연스럽게 고개를 돌리며 주위를 살폈다. 케이는 우연히 채석장 옆에 있는 집 맨 위층을 보았다. 그 때 갑자기 그 집에 불이 켜지고, 창문이 활짝 열렸다. 그 안에서 약하고 말라 보이는 어떤 남자가 허리를 굽히고 힘껏 팔을 벌렸다.

'저 사람은 누구지? 친구일까? 원수일까? 착한 사람일까? 구원을 베풀 자일까? 그래, 아직은 살아날 수 있는 구실이 있을 거야. 한 번도 얼굴을 보지 않은 재판관은 어디 있지? 상급 재판소는 어디 있지?'

케이는 양팔을 높이 들고, 손가락을 쫙 폈다. 그 때 한 남자의 손이 케이의 식도를 눌렀고, 이내 다른 남자가 그의 가슴 깊숙이 칼을 꽂은 뒤, 두 번 회전시켰다. 케이의 눈앞이 흐려져 왔다. 케이는 두 남자가 바로 자기 눈앞에서, 자기의 죽음을 지켜보는 것을 보았다.

"개새끼!"

하고 케이는 말했다. 그가 죽은 후에는 모욕만이 남은 것 같았다.

작품 알아보기
(장편문학)

카프카의 대표작으로 평가 받는 **〈변신〉**은 벌레로 변한 세일즈맨 그레고르 잠자를 통해 인간 상호 간의 단절된 상황과 소외를 보여 준다.

어느 날 아침, 잠에서 깨어난 그레고르는 자신이 흉측한 벌레로 변해 있다는 사실을 알게 된다. 그레고르는 가족들의 말을 알아듣지만, 그들은 벌레로 변한 그레고르의 말을 알아듣지 못한다. 이리하여 고독과 불안의 나날이 시작되는데, 가족들에 의해 감금된 그레고르는 점차 쇠약해져 죽고 만다.

그레고르가 생활비를 버는 동안, 가족들은 그에게 감사를 느낀다. 하지만 그것은 곧 습관이 되어 버리고, 그의 빈자리는 다른 사람에 의해 채워지고 만다. 이상한 사건을 예사로운 일처럼 묘사하여, 독자로 하여금 실존과 부조리의 세계로 끌어들이는 박력은 카프카만이 가진 특징이라 할 수 있다.

〈심판〉은 1925년 발간된 작품으로, 은행원인 요제프 케이는 어느 날 아침, 잠자리를 급습당하고 자신이 체포되었다는 사실을 통고 받는다. 케이는 자신이 혐의를 받을 만한 아무런 이유도 발견하지 못했으나 당국에서는 이렇다할 설명이 없다.

그는 여전히 은행원 생활을 계속하지만, 자신의 무죄를 입증하기 위해 소재를 파악할 수 없는 재판소를 오가며 점차 기진맥진한 상태로 빠져든다. 케이의 사건을 수습해 주겠다고 나서는 인물들이나 변호사의 존재도 그의 혼란을 가중시킬 따름이다. 1년이 지난 어느 날 밤, 케이는 채석장에서 '개같이' 라는 한 마디를 남기고 처형된다.

논술 길잡이
(장편문학)

❶ 그레고르는 어느 날 아침, 벌레로 변해 있는 자신을 발견한다. 만약 자신에게 이 같은 일이 생긴다면 어떤 식으로 가족들과의 의사 소통을 시도했을지 논술하라.

❷ 벌레로 변하기 전, 그레고르는 가족들에게 생활비를 벌어다 주었다. 시간이 지날수록 가족들의 태도는 어떻게 바뀌어 갔는지 써 보자.

논술 길잡이
(장편문학)

❸ 아래 제시된 글을 읽고, 그레고르와 식구들 사이의 단절이 암시하는 것은 무엇인지 현대의 인간 관계를 중심으로 논술하라.

첫날 아침에 식구들이 의사와 자물쇠 장수에게 뭐라고 말해서 돌려보냈는지 그레고르는 전혀 알지 못했다. 왜냐하면 아무도 그레고르가 사람들이 하는 말을 이해할 수 있다고는 생각하지 않았다. 그레테도 마찬가지였다. 그래서 그레고르는 그레테가 자기 방에 들어와도 그녀가 가끔 한숨을 쉬거나, 성자의 이름을 부르는 소리를 듣는 것으로 만족해야 했다.

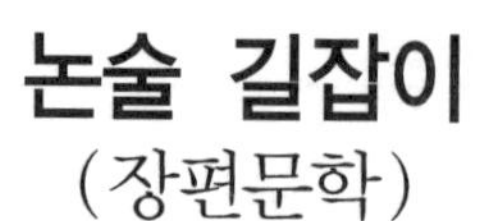

(장편문학)

❹ 아래 글은 케이가 예심 판사 앞에서 자신의 주장을 펼치는 장면이다. 케이가 비판하고 있는 것은 무엇인지 구체적으로 논술하라.

> 저는 열흘 전에 체포되었습니다. 그것도 아침에 잠을 자다가 말입니다. 저와 마찬가지로 아무 죄도 없는 어떤 화가를 체포하라고 명령이 내려진 것 같은데, 바로 제가 그 대상이 되었습니다. 저를 체포한 사람들은 정말 어이가 없었습니다. 그들은 뇌물을 먹으려고 갖은 구실을 다 붙이고, 내 잠옷과 양복을 빼앗으려고 했습니다. 그리고 제 아침식사를 빼앗아 먹고, 돈까지 요구했습니다. 거기다가 제 옆방에 사는 어떤 여자의 방에 들어가 그 방을 어지럽혔습니다. 저는 제가 왜 체포되었느냐고 물었습니다. 그렇지만 그들은 아무 대답도 해 주지 않았습니다.

논·술·세·계·대·표·문·학 〈전60권〉

펴 낸 이 정재상
펴 낸 곳 훈민출판사
주 소 경기도 고양시 덕양구 원당동 416번지
대표전화 (031)962-3888
팩 스 (031)962-9998
출판등록 제395-2003-000042호